トルソー

第七号

2023.5

『トルソー』第七号　目次

〈小特集・大佛次郎〉
大佛次郎の映画作品……牧子　嘉丸　7
横浜点景――大佛次郎『幻燈』の街……堂野前彰子　16
平泉にて、時空を歩く――大佛次郎『義経の周囲』……杉田　絵理　24
裏切り者の幻影――大佛次郎「地霊」を読む……山本恵美子　30
〈コラム〉戦時下に何を読むか　15／『パリ燃ゆ』の鞍馬天狗　37／薔薇　38
《眸のひらめき》有島武郎　大佛次郎　23

〈トルソー〉
岩手からきた蟻……竹地　冬和　4
聖クララのデッサン……伊藤　龍哉　46

〈小　説〉
ノンエッセンシャル・ライフ――こもりびとの手記……牧子　嘉丸　60

〈対　談〉
人はなぜ旅に出るのか……前田　朗／立野　正裕　94

〈エッセイ〉
かかる中隊長ありき …… 竹地　冬和 48
島尾敏雄の「皺」 …… 伊藤　龍哉 50
森鴎外「高瀬舟」と私 …… 杉田　絵理 53
彼らに絶望を強いたものは――映画『ハイドリヒを撃て！』 …… 下園つかさ 56
〈紀　行〉
地蔵の前に雪の敷かれて――北斎・一茶・ハーン …… 伊藤　龍哉 88
〈万葉のうた〉
風・おとない …… 堂野前彰子 80
〈表紙写真解題〉
ポンペイの露台から …… 立野　正裕 39
〈書　評〉
ギャップなきタイムスリップ――武田麟太郎『蔓延する東京 都市底辺作品集』（共和国） …… 杉田　絵理 138
生きてしまったかぎりは――合田一道著『生還：『食人』を冒した老船長の告白』（柏艪舎） …… 山本恵美子 140
〈コラム〉訣れの挨拶 93
《Reclam》『キイランド短篇集』 59
編集後記 143

〈トルソー〉

岩手からきた蟻

竹地冬和

岩手の友だちが野菜を宅急便で送ってくれた。

庭の草花が押し花にして手紙に同封されていた。

封筒の隅から小さな蟻が一匹這い出てきた。

あんまり小さいから押し潰されずに生きていた。

うちのバルコニーは殺風景だが放してやる。

一年前、熊谷守一美術館に出かけて蟻の絵を見たことを思い出した。

蟻は左の二本目の足から歩き始めるというのが守一の観察だったという。

学者はそうとは決まっていないと言ったそうだが、むろんわたしは画家の目のほうを支持する。

岩手からやって来た一匹の小さな蟻がわたしに思い出させてくれた。

熊谷守一の生涯と美術館で昨年見た守一の書画を。

おかげできょうは楽しい数時間を過ごすことが出来た。

信じられるだろうか。

こういう画家がついこのあいだまでこの日本の都会の片隅に存在していたのだった。

豊島区池袋のあたりだ。

朝の食事を済ませると、守一は一日中自宅の庭を散策して過ごしたそうだ。

蟻と戯れ、蝶が蜜を吸うさまを観察し、池の金魚に見入り、白髪の頭にカラスを止まらせて、
二人でなにごとかを語り合っていた。

インドやヒマラヤの隠者の話ではない。

アシジのフランチェスコの話でもない。

豊島区池袋のあたりに住んでいた老人の話をしているのだ。

絵を描くのも、文字を書くのも、うまいも下手も度外視して憚らなかった。

名利や蓄財に無関心で、文化勲章をくれるというのに辞退してしまった。

面倒だからいらないと言ったそうだ。

ずいぶん長生きをした。

だが本人はこう言った。

――生きていても仕方がないんだが、まあ、もっと生きていたいね。

人間らしい人間が生きていたんだ。

われわれのすぐそばに。

豊島区池袋のあたりに。

ついこのあいだまで。

1971（昭和46）年、入退院をくりかえしながら、病軀をおして「天皇の世紀」を書きつづける頃（新潮日本文学アルバム『大佛次郎』より）

小特集　大佛次郎

大佛次郎（おさらぎ・じろう）　一八九七（明治三〇）年、横浜生まれ。本名、野尻清彦。一高仏法科を経て東大政治学科へ進学。一九二四年、娯楽雑誌『ポケット』に大佛次郎の筆名で「隼の源次」を、次いで「鬼面の老女」を発表、主人公の名は鞍馬天狗。〈鞍馬天狗シリーズ〉誕生の瞬間であった。一九三〇（昭和五）年、「ドレフュス事件」を『改造』に連載。フランス第三共和制下を舞台にした作品は「ブゥランジェ将軍の悲劇」（一九三五年）、「パナマ事件」（一九五九年）と続き、「パリ燃ゆ」（一九六一～六四年）に結実した。一九六七年からは「天皇の世紀」を『朝日新聞』に連載。一九七三（昭和四八）年四月二十五日に〈病気休載〉〔計一五五五回〕。死の五日前のことであった。享年七十五歳。歴史小説、現代小説、ノンフィクションと多岐に巨大な仕事を遺した。

大佛次郎の言葉　（一九七三年四月）十六日――一応筆を入れ豊島に見せ、よしと云うをきき櫛田に渡し無言で握手す。何も云わず。一五五五日の苦労なりし、思わず涙ぐむ。これで一生の全部の仕事より解放なり、あとのこと全部新しく考え直さん。「パリ燃ゆ」三巻、「世紀」未完十冊なり。よくぞ勉強せしもの。多少苦しかりし、酸素吸入す。これだけ充実せる仕事のあとの感情、人の知らぬところならん。豊、おもとの献身永代忘るべからず。今となってみれば予は幸福につゝまれて来たり、落日の最後に到りその味一層深し。（病床日記「つきじの記」より）

〈小特集・大佛次郎〉

大佛次郎の映画作品

牧子嘉丸

大佛次郎の原作で映像化された作品は多い。何といっても「鞍馬天狗」シリーズがその代表だが、ここではそのほかの映画化された作品を紹介してみたい。

まず、時代劇でいうと小説「赤穂浪士」が挙げられる。いわゆる「忠臣蔵」の話だが、これに堀田隼人という謎の人物を配して、浅野家の大石内蔵助率いる浪士側と吉良家の両方からその動きを見るという設定にしてある。

何度か映画化されたが、私が見た「**赤穂浪士**」は1961年松田定次監督の東映作品で、内蔵助が片岡千恵蔵、敵役吉良上野介は月形龍之介、堀田隼人は大友柳太朗が扮している。その他、大川橋蔵・中村錦之助・市川右太衛門など、東映オールスターの俳優陣が出演している。

1963年に始まったNHK大河ドラマの第一作は舟橋聖一「花の生涯」だが、第二回作品が本作で、内蔵助は長谷川一夫が演じている。「おのおのがた」というせりふがずいぶん流行ったそうである。堀田隼人は林与一、隼人を助ける蜘蛛の陣十郎に宇野重吉が扮してその渋い演技が評判を呼んだ。

「忠臣蔵」は歌舞伎や映画で何度も演じられているが、この大佛の「赤穂浪士」の人気は堀田隼人という架空の人物の視点で、虚実を交えてストーリー性豊かに展開していくことにある。敵討ちという熱情に捕らわれた武士団を冷静に見つめ続けるニヒリストのまなざしがユニークな「忠臣蔵」外伝にもなっている。

同じように、何度も映画化された大佛作品に、「**照る日くもる日**」がある。勤皇派と佐幕派が互いに抗争して斬りあう幕末もので、「鞍馬天狗」が出てこない時代劇である。

私が見たのは1954年の志村敏夫監督作品で、大スター嵐寛寿郎と大河内伝次郎が勤王・佐幕の敵味方として登場。今は対立しているが、実はこのふたりは同門の子弟であり、友人であったという設定になっている。嵐寛寿郎は「鞍馬天狗」の看板役者だが、原作者の大佛次郎はいつごろからか、主演の嵐が気に入らなくなり、また人を斬りすぎるという不満を述べている。

もう一人の剣劇スターの大河内伝次郎を主演にした「**ごろつき船**」（1950年・森一生監督）という変わった作品もある。これは蝦夷地の松前藩の密売を暴くために江戸から来た密偵が、アイヌに変装して活躍するという内容である。これを阻止するために登場する藩主の弟で腕利きの敵役を月形龍之介が演じている。庶子という出自の日陰者で、思いを寄せる腰元にも拒絶されるニヒルな剣士が、復讐の鬼となって主人公に立ち向かう。

大佛原作ではないが、大河内伝次郎は「丹下左膳」で有名で、「拙者、しぇいは丹下、名はしゃでん」の独特な喋り方で人気を博した。特に山中貞雄監督の「丹下左膳余話―百万両の壺」（1935年）は同シリーズでは異色の傑作として、今日でも評価が高い。この時代劇スターに清水宏監督の「小原庄助さん」（1949年）という面白い現代劇もある。例の「朝寝、朝湯が大好きで、それで身上つーぶした」という歌の主人公である。戦後の農地改革で家・屋敷を失った旧家の主人を哀切にまた飄々と演じている。

戦国武将後藤又兵衛を主人公にした大佛の小説「**乞食大将**」も、1952年に松田定次によって映画化されている。この異色の侍大将の半生を描いた作品で、市川右太衛門が豪快に演じている。後藤又兵衛というと、大阪夏の陣で活躍する姿が有名だが、この作品はその前半生に焦点を当てて、武勇は求めても情を忘れぬ武士の生き方を描いてユニークである。

戦前の時代劇に忘れられない名作を残した劇団に「前進座」の活躍がある。山中貞雄監督の「河内山宗俊」（1936年）「人情紙風船」（1937年）などが、その代表作だが、大佛作品の映画化もある。1941年佐伯幸三監督の「**逢魔の辻**」という映画で、勤皇派にシンパシーを寄せる主人公の浪人青江金五郎に河原崎長十郎、これを付け狙う奉行同心に中村翫右衛門のコンビで、ちょうどユゴーの「レ・ミゼラブル」のジャン・バルジャンとジャベール警部の構図になっている。脱線するが、この追う者と追われる者の逃走・追跡劇は映画・ドラマのひとつの定石で、追う者の異常な執拗さ・執念がドラマをスリリングにしている。映画にもなった水上勉「飢餓海峡」は、ドストエフスキー「罪と罰」からの影響・模倣という指摘を否定して、はっきりと「レ・ミゼラブル」を挙げている。

この作品はさすがに「前進座」制作の映画だけあって、時代の大きな変化に呑み込まれていく武士の姿だけでなく、長屋住まいの様子や庶民の生活・心情などきめ細かく描かれている。

なお、NHK大河ドラマの大佛原作は「赤穂浪士」と述べたが、もうひとつある。1967年五作目「三姉妹」という作品で、幕末に生きる武家の三姉妹のそれぞれの人生を描いている。これはクレジットに大佛次郎原作よりとあって、この「逢魔の辻」他数篇を脚色したものである。青江金五郎が狂言回しになって、幕末から維新にかけての男女の運命をメロドラマふうに描いたものでこれも評判は高かったそうだ。これは見ていないので想像するしかないのだが。

さて、嵐寛寿郎・大河内伝次郎・千恵蔵・右太衛門と並べてきて、いきなり「前進座」の長十郎・翫右衛門に飛んだのだが、「誰か忘れちゃいませんか」という声が聞こえてきそうである。忘れていません。剣劇スターのレジェンド、バンツマこと阪東妻三郎である。

大佛の「**おぼろ駕籠**」を1951年伊藤大輔監督が映画化。阪妻を主役に月形・佐田啓二・菅井一郎らが脇を固め、田中絹代・山田五十鈴ら女性陣が華をそえるという豪華出演である。

この作品は、それまでの単純な善悪二元の内容ではなく、大奥女中の殺人事件を推理するというストーリーになっている。主人公阪妻の夢覚和尚は、元御家人なのだが、心中で女が死んだため侍の身分を失って坊主になったという設定である。これに御家人時代の友人が月形龍之介で、このいささかやさぐれたふたりが若侍佐田啓二の冤罪を晴らし、田沼意次を擬したわいろ政治を暴くというストーリーになっている。

この阪妻は、田村高廣・正和・亮の三兄弟の父親として有名な伝説的な俳優であるが、その演技力には独特な味わいと風格がある。剛毅のうらに剽軽さがあり、快活の気風に悲しみを滲ませている。また、その殺陣も見事で、茶目っ気も交えて動きが軽快である。

それにしても大佛作品に、当時の人気時代劇俳優が主人公になっているのも面白い。まずは主人公がモラルと志操のある健全な正義漢である。ストーリーに起伏があって、大衆受けする。男女の奥ゆかしい恋情が描かれていて風情がある。どの作品にも明朗な品格があって、それが五人の剣劇スターのそれぞれの個性とマッチしているといえようか。

大佛作品には「鞍馬天狗」のようなフィクションもあるが、実在の人物に材をとった時代小説も多い。「**若き日の信長**」（１９５９年・森一生監督）は、織田信長の若き日の苦悩に焦点をあてた作品である。三島由紀夫原作「金閣寺」の映画「炎上」（１９５８年）や藤村原作の映画「破戒」（１９６２年）の主人公と同じく、市川崑監督作品でも雷蔵は悩める青年像を演じた。

これに対して、「風雲児―織田信長」（１９５９年・河野寿一監督）という中村錦之助主演の映画もある。これは原作が山岡荘八で、周囲から疎外され続けてきた信長を唯一見守ってくれた平手政秀を月形龍之介が演じ、主君信長への厳しくも情愛のある忠義を描いている。この平手は信長のあまりの乱行を戒めるために諫死した忠臣だが、信長はなぜ周りを欺くためのふるまいだったことを理解してくれなかったのかと、深く嘆く。雷蔵が静なら、錦之助は動の信長を演じていて、それぞれに見事である。

私が見たなかで大佛作品での最高の時代劇は、何といっても１９６１年伊藤大輔監督の「**反逆児**」である。これはまさに動の錦之助が、徳川家康の長男信康を演じている。家康は佐野周二、母築山殿を杉村春子、妻徳姫を岩崎加根子という豪華な俳優陣が脇を固めている。なかでも、徳川家の次の棟梁信康に脅威を感じ、父子に冷酷非情な命令を下す信長役には、これまた月形龍之介が扮している。阪妻同様、大部屋俳優から這い上がってきたこのひとは、善悪両面の演技力で見るものを魅了する。

この作品は大佛が「築山殿始末」という演目で、新歌舞伎として書き下ろしたものを伊藤大輔が映画化したものである。夫家康の愛を得られぬ築山は、わが子だけを頼りにし、また信長の娘である妻徳姫は夫の愛情に疑念を抱く。母と妻への情を募らせながらも、板挟みになって信康は苦悩する。

やがて、築山が武田家と内通しているとして湖上で処刑、信康も切腹を命じられる。

このときの錦之助の迫真の演技は、監督自身も嗚咽したというほどの名シーンで、淀川長治が絶賛したことでも有名である。

大佛作品のアダプテーション（映画化）は、現代劇にもある。大佛の現代小説の傑作「**帰郷**」（１９５０年・大庭秀雄監督）の映画化である。海軍将校の不祥事の責任をひとり負って、異国に彷徨う守屋恭吾は、背広を着た倉田典膳と評された。やがて望郷の念を募らせ帰国し、娘と再会を果たすのだが。

主人公守屋を佐分利信、娘を津島恵子が演じている。京都で再会する場面は感動的で、佐分利の重厚さと津島恵子の初々しさが心をうつ。

この作品には、戦前・戦中・戦後とめまぐるしく変わる世相も描かれていて、文化人・知識人らの時節に合わせた豹変ぶりも描かれている。作者はこの作品のモチーフを戦後社会に見た怒りと述べていることは有名である。

大佛次郎自身は左翼でも右翼でもない、リベラリストであるが、大衆の権力への迎合ぶりや人心の荒廃、また知識人の変節・転向の例を数多く見てきたであろう。大佛がそれらを評論・批評などで声高く批判しているものを見たことはないが、そのぶん心に秘めるものがあったにちがいない。この作品はまた、森雅之・吉永小百合の父子役で、リメークされている。

小津安二郎監督「**宗方姉妹**」（１９５０年）も戦後の暗い世相を背景に、姉妹の新旧二様の女性の生き方を描いている。姉を田中絹代、妹を高峰秀子が演じている。父が笠智衆、姉の夫は山村聡、それにかつての恋人役に上原謙と、ほぼ小津ワールドなのだが、ここには穏やかな家庭劇はなく、失業者の夫を抱えた女性の苦悩が描かれている。姉の古風な生き方に対して、妹は戦後的、当時でいえばアプレふうの現代女性として対比的に描かれている。高峰秀子がぺろっと舌を出す演技が面白い。

この二作に隠れているが、もうひとつ重要な現代作に「**風船**」（１９５６年）という映画がある。これは父と子の世代間の倫理・モラルを問うた内容とも読める。画家から転じて実業家として成り上がった父が森雅之、その威光で社員となった息子で女性にだらしない男に三橋達也、この男の愛人で戦争未亡人に新珠三千代が扮している。戦後のエゴイズムに満ちた世界で、各人が欲望を募らせて生きる姿を川島雄三が撮っている。

川端康成の「山の音」とちょっと似たところがあるように私などは思うのだが、妻がありながら、他所で愛人をつくる息子の修一と同じ精神構造なのだろう。「山の音」は嫁に対する屈折した愛情が描かれるのだが、この映画では女性をもてあそぶ息子への父の激しい怒りがストレートに表現されている。

作者の大佛は「帰郷」よりこの作品のほうが重要だと原作のあとがきで述べている。

大佛にはこんなエピソードがある。あるとき、久米正雄にもう「鞍馬天狗」の執筆を辞めたいと話したら、おおいにたしなめられたという。大佛といえば「鞍馬天狗」という、いわば作家のトレードマークを捨てるなどとんでもない。自分のようにこれといって、代表作のない作家の目からみれば、もったいなさすぎるというのだ。

　漱石といえば「猫」「坊っちゃん」、鷗外といえば「舞姫」や「雁」、藤村はといえば「若菜集」に「破戒」というように、即座に作品名があがるか否か一流作家の条件である。人口に膾炙された作品をもたず、あれは鎌倉文士である、また芥川龍之介の友人であったというぐらいの認識しかされてこなかった久米正雄にしてみれば、ぜいたくな悩みであったろう。これは大佛というより、久米のいささか悲しい逸話といってもよいだろう。

　しかし、大佛は久米の忠告に従いながらも、「鞍馬天狗」から徐々に脱していったのは正解だったろう。長兄野尻抱影から、一中・一高そして東京帝大の法学部に学び、外務省に進むという当時最高のエリートコースを歩んできた者が、何故に髷物など書いて男子一生の仕事としているのかという叱責を受けていた。髷物《まげもの》、いわゆるチャンバラ・講談・時代劇は二流の大衆文化であり、純文学と比べて不当に低く識者や世間からも見られていた。

　この大衆文学軽視・蔑視に対する鬱憤・義憤めいたものが、やがて大佛に「ドレフュス事件」「詩人・地霊」や「パナマ事件」などのノンフィクションに向かわせ、その延長線上に「パリ燃ゆ」が書かれたことはいうまでもない。そして、大佛の集大成として「天皇の世紀」に取りかかることになるのである。

　この大佛に対して、私はいつもコナン・ドイルのことが思い浮かぶのだが、ドイルは結局「シャーロック・ホームズ」から縁が切れず、本来望んでいた歴史小説家としての名を残せなかった。ドイルも「最後の事件」でホームズをライヘンバッハの滝に葬って決別を図るのだが、熱狂的なシャーロキアンの抗議と熱望で帰還させざるを得なかった。芸術家の一番の危機は自己模倣である。それがマンネリズムか、それともさらなる飛躍かの分かれ道になる。大佛は危機を脱し、ドイルは脱しきれなかったといえばこの世界的巨匠に対して不遜であろうか。ドイルは「恐怖の谷」で、事件そのものの推理と事件の社会的背景を二部構成で描いた。これは我が国でいえば、松本清張をはじめ社会派推理小説の嚆矢《こうし》といってもよいのではないか。ドイルはホームズ作品の枠内でも決してマンネリズムに陥っていたわけではないことを急いでつけくわえておかねばならないのだが。

　今回、私は大佛特集でこの「天皇の世紀」に挑戦するつもりでいた。が、早々に挫折した。歴史専門の批評家によると、三度目の全巻通読に三か月かかったという。時間的にも、何よりも能力的に無理であった。第一巻・二巻までなんとか読めたが、それが限界だった。幕末・維新にかけての歴史的知識と考証の緻密さ、歴史探求の深い認識と妥協のない実証精神など、どれをとっても易々と読めるようなものではないし、まして論ずるなど到底及ばぬことである。はっきりいって、司馬遼太郎の小説とは違うのである。

が、たまたま近隣の図書館に行ったとき、視聴覚コーナーを覗いたら何と「**天皇の世紀**」のビデオがあって、私は文字通り驚喜した。狂喜したといってもよい。昔、テレビでみた記憶があったのだが、まさかビデオ化されているとは知らなかった。

これは1971年に朝日放送の系列で放映されたテレビ映画で、第一話から十三話まであり、監督は山本薩夫、今井正、吉村公三郎、篠田正浩ら著名な映画人であり、俳優陣も三島雅夫・伊藤雄之助・木村功・天地茂・佐藤慶・原田芳雄ら豪華な演技者がならんでいる。また脚本家には新藤兼人・早坂暁・石堂淑朗のベテラン執筆陣が担当。

これら錚《そう》々《そう》たる監督・脚本演出家・俳優と大物プロデューサーの努力が実って好評を博したのである。そして、武満徹の音楽と滝沢修の重厚なナレーションが圧巻だったと伝わっている。第一話「黒船」冒頭には、作者の大佛次郎の映像もあり、監督の山本薩夫と談笑している姿が映っている。最終回十三話「壊滅」は、倒幕のために挙兵した水戸天狗党の惨めな敗走・惨死で終わるのだが、「尊王攘夷」という訳のわからぬ狂熱の悲劇的な終焉を象徴している。

これはやがて2・26事件における皇道派青年将校の失敗や「鬼畜米英」「撃ちてし止まん」とヒステリックに叫んだ軍部の国家的発狂の敗北をも予兆しているようにも思えるのだが。もっといえば、戦後の「連合赤軍」の自滅や「オウム真理教」の暴走もまた。

いかなる民族・国家もまた一組織も集団的興奮・熱狂にとらわれたときに、やがて支払わねばならぬその代償があまりにも大きいことを歴史は語っている。

なお、原作の最終章「金城自壊」は北越戦争で長岡藩を主導した河井継之助の最期が描かれている。「天皇の世紀」は明治帝の誕生から、維新前夜まで書かれ、未完で終わっている。

ここに櫛田克巳「大佛次郎と『天皇の世紀』と―ある学芸記者の記録」という本がある。櫛田さんは朝日新聞の学芸記者で、大佛の「天皇の世紀」担当者だったひとである。そのなかで、大佛がこのテレビ映画製作について、脚本・配役・ナレーションなどに細かく気を配ってスタッフに協力したとある。が、ときには厳しい意見もあり、櫛田さんに宛てた手紙を紹介している。

「どうも仕事が粗末な気がして不安です。数人に手分けして作った脚本だけに、専門家らしい手腕によって軽く自分の担当の分を書き上げ『天皇の世紀』の部分であることを考えなかった恨みがあります。つまり一つの事件は書かれてあっても、背後に流れる時代の力は現れず、表面的な記述となり、ドラマでもドキュメンタリーでもなく、無味乾燥な報道となって、見るものを惹附ける力が、どこにも無いのです。演出によって補う方針としても、女優も出ない、ドラマもない、筋だけのものでは、一体どうなるのでしょうか。私が強く主張したナレーションの導入は、この欠陥を補うためのものですが、脚色家諸氏はこれもあまり使わないので、ただ平坦な事件の進行となり、これでは粗末な時代劇映画と成り果てます」と手厳しい。

この制作初期の段階での欠陥は、全体の研究不足で、ボリュームだけで見て、質について見ていない、と指摘している。櫛田さんは、この一通の手紙が仕事への心構えを教え、テレビ映画「天皇の世紀」を完成させる力となったと述懐している。

原作の映画化も多く、また自ら戯曲・歌舞伎まで書いてきた作者だからこそ、出来た批評・批判であり、また督励・期待でもあったのだろう。結果、素晴らしいテレビ映画になり、今日ビデオ・DVD・ユーチューブなどで歴史的名作として見ることができるのである。私などもこの映像のおかげで、「天皇の世紀」を読み解く、とまではもちろんいかないが、その原作の一端にふれることができたのである。

大佛次郎はこの「天皇の世紀」に精魂を傾けながら、1973年（昭和48年）四月闘病生活のなかに亡くなるのだが、病室には様々な書籍・資料とともに、「つきぢ記」と題されたノート五冊の日記が残されていたという。その最後のノートの1973年四月付けの記述にこうある。

「十六日　一応筆を入れ豊島に見せよしと云うをきき櫛田に渡し無言で握手す　何も云わず一五五五回の苦労なりし　思わず涙ぐむ　これで一生の仕事の全部より解放なりあとのことは全部新しく考え直さん　パリ燃ゆ三巻　世紀未完十冊なり　よくぞ勉強せしもの

多少苦しかりし酸素吸入す　これだけ充実せる仕事の

あと感情人の知らぬところならん」

私が驚嘆を覚えるのは、これだけの仕事をして充実感に包まれながら、なお苦しい呼吸のなかで「あとのことは全部新しく考え直さん」という意気込みである。

大佛は3年前の三島由紀夫の自裁も知り、その翌々年の川端康成の死も当然知っていた。三島は「豊饒の海」四部作でわが文学のこと終われりと主義に殉じ、川端はノーベル賞以後何ひとつ書けぬままかそけき命を自ら消した。

しかし、大佛は倉田典膳には刀を揮わせたが、自身はペンを握った。ガス管のかわりに酸素呼吸器を放さず、最後まで病に抗った。

五冊目のノートの絶筆にはこうある。

「二十五日　藤の花さかんなり　新聞の掲載今日の夕刊限りである　ついでにおいとまできれば理想的なり

みんな　しんせつにしてくれてありがとう　皆さんの幸福を祈ります」

戦時下に何を読むか

大佛次郎の一九四四年九月十二日の日記に、こうある。「今の情況ではいつまで生きていられるか分らぬが五〇才から六〇までの間に何か完成した作品が書けねば駄目だと思う。無論今予定している作品のほかのものでまたその時分には自分ももっと育っていようと期待してのことである。（中略）その後に戦争と平和のような大きなものと取組んでみたい。それまでは、力をこめたと云うだけのエチュードである。」その後、一九六一年（六十四歳）に『パリ燃ゆ』を刊行し、一九六七年（七十歳）に『天皇の世紀』の連載を始める。戦時下において戦後に己がなすべき仕事を見据え、事実、それを実行した。「戦争と平和のような大きなもの」とあるが、実際、この時期に大佛はトルストイをよく読んでいる。「戦争と平和」のほか、「アンナ・カレーニナ」、「コサック」「陣中の邂逅」「セバストーポリ」「林を伐る」といった短編など、最も言及が多い（ほかにはゲーテ、ツルゲーネフ、チェーホフ、ゴーゴリ、アナトール・フランス「神々は乾く」などがある）。翼賛の熱狂の中、大佛がトルストイを読んでいたことは、今、わたしに問いとして向けられている。

（山本恵美子）

〈小特集・大佛次郎〉

横浜点景

――大佛次郎『幻燈』の街

堂野前彰子

一

大佛次郎という作家を知ったのは、中学生の頃だったた気がする。父の書斎で見つけた肌色の表紙の本は『パリ燃ゆ』、フランスへの憧れを抱き始めていた少女には、何とも魅力的なタイトルだった。それからしばらくして、全六冊の単行本は私の書棚にやってきた。しかし、世界史をまだ学んでいなかった私にはその内容が難しく、最初の数頁で挫折することを繰り返し、やがて手にとることもなくなっていった。それでもなおその本は私の書棚に居座り続け、結婚したばかりの狭い新居にも、漱石や太宰の文庫本とともにその本はあった。大佛の作品をろくに読んだこともないくせに、よく知っている気になっていたのはそのせいだろう。港の見える丘公園に立つ大佛次郎記念館の、洋風の佇まいに惹かれて訪れたことがあるのも、その思い込みを助けていたのだと思う。

一八九七年に横浜に生まれた大佛次郎は、小学校にあがった七歳の時、横浜から東京へ転居した。二人の兄が大学に通うためだった。以来家族と一緒に東京に暮らしていたが、東京帝国大学を卒業したのち鎌倉に居を構え、鎌倉大仏のすぐ裏手に住んでいたことから「大佛」というペンネームを用いるようになった。鎌倉をこよなく愛した鎌倉文士の一人で、日本初のナショナル・トラスト運動にも参加し、久米正雄とともに鎌倉カーニバルの発起人でもあった。なお、彼ら鎌倉文士の軌跡は、鎌倉文学館の展示に詳しい。鎌倉カーニバルの様子を撮った写真が、常設展のガラスケースに飾られていた記憶がある。

二十四歳の時から鎌倉に住み続けた大佛だが、自身が生まれた横浜にも愛着があったらしく、ホテルニューグランド三一八号室を十年間にわたり仕事場にしていた。日中は部屋で執筆し、夕方仕事を終えると一階のバーのカウンターでカクテルを飲み、夜は山下公園や中華街を散策したという。因みに、山下公園は関東大震災の瓦礫を埋め立てて造られた公園で、その公園に面したホテルニューグランドは一九二七年の創業である。今から三十年ほど前にタワー棟が建設され、ホテルの外観は変わってしまったけれど、本館はそのまま残され、今でも当時の様子を偲ぶことができる。

　横浜への愛着という点で、自称浜っ子の私と大佛は同志である。県外の友人を案内する際、横浜の良さは何かといつも自問自答するのだが、横浜の良さは浜っ子にしかわからない気がする。港の見える丘公園からの眺めにしても、首都高速道路の方がはるかに幅を利かせていて、大桟橋は視界の左側にわずかに見えるのみである。眼下に広がるのは港湾の錆びた建物ばかり、その景色を美しいとはお世辞にも言えない。はじめてその公園からの景色を見た時、随分拍子抜けしたものだ。それが今では、このパッとしない風景こそが横浜だと思っている。横浜らしさは緑色に濁った堀川やそこに浮かぶ朽ちかけた小舟、工場の煙突や薄汚れた倉庫などその猥雑さにあり、私の中でそれは三島由紀夫の『午後の曳航』と結びついている。あの小説の主人公の無垢なまでの残忍さは、まさに横浜を象徴していると思う。

二

　大佛次郎の『幻燈』もまた、横浜を舞台にした小説である。一言でいえば、旗本の長男である助太郎が士族としての誇りを失うことなく、幕府瓦解後の世の中でどのようにして生きるのかを描いたものであり、もう一人の主人公ともいうべきお種は、その助太郎に密に思いを寄せている。三島の『午後の曳航』が戦後の横浜の「栄光」と「退廃」を描いているとしたら、『幻燈』は明治維新直後の横浜の「混沌」と「希望」を写し出していると言えるだろうか。元御直参の助太郎にしても、ちゃきっちゃきの町娘お種にしても、明治になって横浜に移り住んだ江戸っ子であり、横浜というよりは江戸の風情がこの小説全体を覆っている。そもそも横浜という町は、その頃産声をあげたばかりの町なのだから、風情と呼ぶほどのものがまだ育《はぐく》まれていなかったのかもしれない。

　例えば、この小説は「路地を出ると、河岸《かし》通《どお》りで、町なかの狭い掘割《ほりわり》だが、海の潮が入って来ていて、屈《かが》んで手を伸ばせばとどくぐらいに、水がふくれ上っている」

とはじまるのだが、この「掘割」（現在の堀川）は横浜開港の翌年一八六〇年（万延元）に、外国人居留地である山手と関内一帯とを分けるために開削された。外国人と日本人の間のトラブルを避けるためという理由は、当時日本を席巻していた攘夷運動を考えるならもっともなことである。私が横浜らしいと感じる川の景色は、開港にともない人工的に造られたものであった。当時堀川に架けられた橋には、河口から谷戸橋、前田橋、西の橋の三つがあり、今その川は首都高速道路の下を流れている。それは東京の日本橋に同じで、すでに市街化されているところに高速道路を造るとしたら、川の上しか残されていないということなのだろう。

「露草」という章の冒頭、お種に話しかけてきた男が欄干にもたれていた橋は、おそらく前田橋ではなかったか。前田橋は中華街の南門と元町商店街を結ぶ橋で、「前田橋を渡ったところは両側がペンキを塗って長屋建てで、間口は狭いが、いろいろの店が並んでいて、そのどれも異人が主人で、異人の女が店番をしているのもあった」と「夜の時間」では語られている。「異人が主人」の店が並んでいたのは、堀川に平行して造られた元町商店街に違いない。その「四辻を通り抜けて、正面の路地を入ったところから、急に登っている崖のてっぺん」には浅間神社があって、その境内にはお種が手伝っていた茶店があった。浅間神社とはもと横浜村にあった神社で、開港の折、立ち退きを迫られた村人とともにこの地に遷座してきた。しかし、眼下に港を見晴らすことができたこの神社は、一九二三年（大正十二）の関東大震災により、百一段あった階段とともに崩壊した。その跡地は「元町百段公園」になっている。「霧笛楼」というレストランの裏手の崖がその坂のあったあたりで、レストランの名はその坂を舞台にした大佛の小説『霧笛』に因んだという。他の小説にも登場するということは、その坂を大佛はよほど気に入っていたのだろうか。それが横浜の名所であったことは、当時の様子を写した写真からもわかる。

また、助太郎が英語学校の帰りに立ち寄ったのもこの神社であり、その時、東京で新聞社を経営している西洋人ブラックに出会った。助太郎とその友人が、家禄を取り上げられて露頭に迷った士族たちが政府に対して不満に思っていると話していると、茶店の端の縁台に腰かけていたブラックが二人のところに来て、士族たちの教養の高さを褒めながらも、刀という人切包丁をいつも腰にさしているのはいただけない、これからは言葉が刀のかわりをする時代だと熱弁をふるった。

このブラックとの出会いは、その後の助太郎の運命を変えることになった。兎を市に出す叔父の付き添いとして東京へ行った折、助太郎は叔父と別れてブラックの新聞社を訪れ、そこで働きたいと直談判する。はじめは気まぐれな思いつきでしかなかったのに、見通しがたたずに鬱々としていた助太郎にそれは一筋の光りを与えた。お種もまた、父親の口利きで商家へ奉公にあがったものの、接待していた官人の夜の世話をさせられそうになって飛び出し、兎ブームに見切りをつけた助太郎の叔父が兎を野原に解き放つ手伝いをする。解放されたのは兎ではなく人間の方、自らの足で立とうとする若い二人なのだと思う。小説はそこで終わっている。

不思議なことには、小説内に「河岸通り」はしばしば出て来ても、「海岸通り」が語られることはほとんどなく、あったとしても「海岸通りの倉庫」が登場するくらいである。「港は助太郎が歩いている町筋のそう遠くない先のところにあった」と言いながら、海そのものが詳細に語られるのは「陸蒸気」で品川に向かう時のこと、しかも「海を埋め立てた長い土手の上を通っていたので、まもなく海が朝日に眩《まぶ》しく輝いて、ひろびろと窓の直ぐ前に現れた」というのは車中からの眺めである。「崖の下に低くひろがって見える居留地から港にかけて、西日はまだ、美しい色を流していた。とりわけて港の水の色が、きれいに青く、碇泊《ていはく》している蒸気船の影を、明るく伸び縮みさせている」と描かれる海もまた遠景であり、海は風景の片隅に過ぎない。川と川岸とそれに続く坂が、この小説の中心となっている。

横浜は坂の町でもある。居留地を挟んで浅間神社とは反対側にある野毛坂も、この小説では重要な役割を担っており、助太郎たちの通う英語学校と敵対する漢学塾がその坂にはあった。同じ士族であっても、旧弊な考え方をする人々と新しい時代を受け入れようとしている人々では、住まう場所が異なっていたということなのだろう。いわゆる関内と呼ばれる居留地の中には、日本人が暮らす一画があった。

また、野毛坂は東海道神奈川宿と居留地を結ぶ「横浜道」上にあり、その道は一八五九年（安政六）の開港に間に合わせて、わずか三ヶ月の突貫工事で造られた。埋め立て地である鉄道の軌道に沿って「新街道」も整備され、この二つの道が小さな漁村であった横浜を活気のある繁華街へと発展させた。野毛には奉行所（現在の神奈川県立青少年センター）や役宅が建ちならび、太田村（現在の日ノ出町）には太田陣屋が設けられ、野毛山には生糸などで富を得た商人の邸宅が並んでいた。明治時代になってから伊勢山皇大神宮が創建され、寺社のみならず、学校や病院、遊郭や造船所、瓦斯局などが野毛地区に集まっていた。野毛坂には旅人相手の宿屋も多く並んでいたが、往来に面してはしもた屋（一般の住宅）が多く、どこかのんびりとしていた、と大佛も言葉を残している。

しかし、この街並みも関東大震災によってほぼ全てが倒壊、焼失し、第二次世界大戦の横浜大空襲では被害が最も大きかった。野毛山に高射台があったからである。終戦後はガード下にバラック小屋が並び、それが飲食店へと変わっていくと同時に女性が客を取る「ちょんの間」が現れ、関東でも屈指の青線地帯として知られるようになった。私が子供の頃、日ノ出町の駅には酸っぱい匂いが充満していて、野毛坂にある横浜市立中央図書館へは少しどきどきしながら通ったものだ。黒澤明監督「天国と地獄」の舞台となった黄金町には、足を踏み入れたことすらなかった。

眠らない街にはいつも灯りが氾濫している。『幻燈』でも町の灯りが象徴的に語られており、小説の重要な小道具になっている。行燈の薄暗がりの中で暮らしている士族、昼間のように明るい瓦斯燈の下で生活する外国人、色とりどりの灯りにあふれる中華街、と灯りにも濃淡があり、助太郎の叔父の知り合いは静岡から出てきて、できたばかりの瓦斯燈を見て驚いている。一八七二年（明治五）にはじめて瓦斯燈が灯されたのは横浜馬車道であり、それを記念した碑が今も馬車道関内ホールの前に残されている。瓦斯燈のほかアイスクリームや食パン、ビールやハム、テニスやラグビーなど横浜発祥の文化は意外に多い。

幻燈は明治時代に入って急速に普及し、各地で盛んに幻燈会が開催されていたらしい。小説冒頭の場面では、知り合う前の助太郎とお種が、関帝廟に映し出された西瓜や孔雀、異人館などの幻燈を見物している。幻燈はこの小説のタイトルにもなっていながら、それが登場するのは後にも先にもこの場面しかない。東京の新聞社で働きはじめた助太郎は、まだ文明開化に追いついていない日本も、やがて幻燈の街のように「秩序と美と調和のある世界」に変わっていくと考えるのだが、幻燈に映し出された街は幻ではなく、確実に訪れる未来の姿なのだろう。

三

ところで、横浜には有名な三つの塔がある。港に入って来た船から見て、はじめに目に飛び込んでくるのがそれらの塔であった。通称キングは神奈川県庁の塔で、一九二八年（昭和三）に竣工した。五重塔を思わせる帝冠様式の塔は、黄土色の冠にペパーミントグリーンのふち飾りがついている。クイーンはイスラム寺院風のドームを持つ横浜税関で、ベージュ色のタイルに緑色のドームが印象的である。海に近い海岸部にあり、一九三四年（昭和九）の竣工は三つの塔の中で最も新しい。ジャックは開講五十年を記念して建てられた横浜市開講記念館で、赤レンガの時計台といった風情をしている。昭和初期、外国船の船乗りがトランプのカードに見立てて呼んだのが、その愛称のはじまりであった。

この三つに加えて、神奈川県立博物館（旧横浜正金銀行）の塔をエースと称することもあり、それは最も古い一九〇四年（明治三十七）に建てられた。三塔に数えられなかったのは、大桟橋から少し離れたところに位置しているからだという。今はまわりに高い建物が立って目立たなくなったが、散歩の途中で狭い路地の向こうにその姿を見ると、私はちょっと嬉しくなる。

海上から見て目立つものには、マリンタワーもある。開港百周年記念行事の一環として一九六一年（昭和三十六）に建設され、どの角度からも同じ姿に見えるようにと十角形のデザインが採用された。頭頂部に灯台の機能を併せ持ち、二〇〇八年（平成二十）までは日本で最も高い灯台だった。しかし、多くの観光客でにぎわったマリンタワーも、二〇〇〇年以降は集客力が減少し、経営悪化を理由に二〇〇六年横浜市に譲渡され、二〇〇九年にリニューアルオープンしたものの、二〇一九年から三年間の予定で再び改修工事がはじまった。もはや港のランドマークではなくなったマリンタワーに、観光客が戻ってくるのかは甚だ怪しいのだが、かつての賑わいを知っている者にとって、港の風景からマリンタワーが消えてしまうことは想像すらできない。高校に入学したばかりの五月、クラスメート全員で港まつりを観に行った時もマリンタワーが集合場所だった。仮装パレードを見ようと多くの人々がつめかけていて、初夏の日差しは眩しく、街路には活気が溢れていた。

観光の中心は今や元町や山下公園ではなく、ランドマークタワーのあるみなとみらい地区や、二〇二一年の春桜木町駅からロープウェイで繋がった赤レンガ倉庫に移っている。このロープウェイも日本初の常設都市型ロープウェイであるらしく、日本発祥のものがまた新たに横浜に加わった。

その眼下に見える汽車道は、一九一一年（明治四十四）に開通した臨港線の跡である。臨港線の終点新港埠頭は、日本ではじめて係船岸壁を有した埠頭であり、そこには二つの赤レンガ倉庫が建設された。今ではすっかり洗練された商業施設になったけれど、二十年ほど前に生まれ変わるまでは廃墟同然の、敷地内に腰の高さまで雑草が生えた立ち入り禁止区域だった。高校生の私は大桟橋から税関の裏に回り、有刺鉄線を跨いで赤レンガ倉庫を見に行ったものだ。そこから桜木町まで続く廃線跡は、私の中では『午後の曳航』の少年たちがたむろする場所だった。

朽ち果てつつある廃墟を整備して、新しい観光資源にすることが悪いわけではない。歴史的価値のある倉庫や建物が、文化遺産として残されていくのは良いことだと思う。私が決して足を踏み入れなかった黄金町はアートの街に生まれかわりつつあり、黄金町にある映画館に毎週のように通えるのも、街が綺麗になったおかげである。そうではあるが、私の中で横浜は混沌と活気が同居した街である。猥雑さがぎゅっと詰まった廃墟が横浜であり、それは大佛が描いた「混沌」とは異質なものだろう。

中学二年生の夏、長い夏休みを持て余し気味だった私は一人で関内まで出かけて行き、開港資料館や山下公園を訪れた。港の見える丘公園から港を眺め、尾根伝いの道をカトリック山手教会まで散歩した。少し戻って、フェリス女学院脇の急な坂道を元町商店街まで降りて行くと、お盆休みでどの店も閉まっていた。唯一開いていた小さな書店に入り、私は夏目漱石の『草枕』を手にとった。純文学は国語の時間に習っただけの言葉であり、漱石の作品を読んだのもそれがはじめてだった。決して読書家ではない私は、本を読むなら違う本と決めているので、『草枕』を読んだのもその時の一度きりである。それでも一番好きな本を一冊挙げるしたら、今でも迷わず『草枕』を挙げる。出戻り娘である主人公は離婚した夫を見送る停車場で、一瞬だけ表情のある顔をする。この場面を書くために、作家はこの小説を書いたに違いない。悲しみも苦しみも、慈しみも哀れみもその「一瞬」に凝縮されている。その小説の舞台は熊本の温泉であって横浜とは無縁なのだが、なぜかその「一瞬」が私の横浜と重なった。

眸のひらめき

有島武郎　大佛次郎

「美しいことですね」

汽車は保土ヶ谷に差しかかっていた。鎌倉から乗車した紳士は、向い合って座る青年を促した。車窓からはカヤぶきの農家が続くのが見やられた。カヤをふいた屋根のむねには、どこでも薄いふじ色がかった白い花が咲いていた。イチハツの花だと、紳士は教えた。

青年は車内に視線を戻した。まだ花などに気のつく年齢ではなかったが、それでも目の前にいる有島さんのもらした感慨は、いつも三等に乗っていられるこの人の人柄といかにも調和して青年の胸に沁みた。またこの青年が通っている、麹町の有島邸で催される「草の葉会」の席上で、ホイットマンの詩をはじめ、クロポトキン、バクーニン、マルクス、ラッセル等を論じる有島先生の思想ともどこか通う心として迫ってきた。

時が経った。いつの頃からか、窓の外に広がるカヤぶきの屋根のむねにはカワラやトタン板がかぶせられて、イチハツは影を消してゆき、やがてどの家にも見なくなった。その間に青年は大佛次郎の名で、鞍馬天狗を引っ提げて文壇に登場した。有島さんは既にこの世の人ではない。けれども、花がなくなっても、保土ヶ谷を電車で通るときには、あすこに残るカヤぶきの屋根を懐かしく眺めて、有島さんの温和な顔を思い起こした。あれはちょうど有島さんが円覚寺の塔頭に籠って『或る女』の後篇を書いている時分のことであった。そしてさらに思い、噛みしめるのだ。あのときの有島さんは、花の美しさよりも、屋上に花を咲かせる人の営みの美しさに打たれていたのだと。人間、自分がしていると知らずにしていることでも、よいこと、美しいことだったら、だれかが見てくれているのだといえるのなら、うれしいことではないか。

――さて、それは二人が車窓からイチハツの花を眺めた日のことであったろうか。なにしろその頃の有島武郎の日記の一節である。「『地獄のつりかぎ』根ノ長き雑草それにて地獄ガツラレテゐるト云フナリトゾ、今日見物ニ歩キ居ル百姓ノ人達ノ話、ア丶云フ人ノ歩イテヰルノヲ見ルト御礼ガシタイ、威権ノアル顔ヲ持ツテル人ガ澤山ヰル」（一九一九年四月二十日）。

（T・I）

〈小特集・大佛次郎〉

平泉にて、時空を歩く

――大佛次郎『義経の周囲』

杉田絵理

大佛次郎は一九五〇年三月、朝日新聞社が主催した奥州藤原氏四代の遺体を対象にした学術調査に立ち会い、その後、朝日新聞紙上にエッセイ「北方の王者」を掲載。一九六一年三月より『朝日新聞ＰＲ版』にて計三十八回にわたって「義経の周囲」を連載した。

一　いざ平泉

一九七三年四月三十日は大佛次郎の命日である。そして一一八九年閏四月三十日、平泉の高館《たかだち》で源義経が自害した。三十一歳だった。四月三十日という日付が私の目を引いた。こういう偶然から人は運命的な何かを感じることがある。大佛の作品を一つ二つ三つと読むにつれ、今度こそ歯が立たないかもしれないと途方に暮れていた私は、この偶然を手がかりにして何か書けないだろうかという期待から平泉を訪れることにした。

北海道をのぞいて宮城石巻以北へ足を伸ばすのは初めてだ。新幹線の窓から、雨にけぶる陸奥《みちのく》の山々を眺めて飽きることがなかった。武蔵坊の名を冠する宿に滞在した。金鶏山《きんけいざん》の麓にあり、あちらこちらから見えるランドマーク的な建物でもあった。平泉は人口七三〇〇の小さな町だ。ユネスコの世界文化遺産に登録されていることもあってか、観光のための巡回バスなどは走っていたが、時間に余裕があったので宿を拠点にすべて徒歩で移動した。気分は江戸時代の旅人である。レンタサイクルという手もあったが、悪天候のため利用しなかった。自転車なら衣川に沿って遺跡めぐりができただろう。

奥州藤原氏が根をおろす前は、土着の豪族安倍氏が勢力を伸ばし、衣川一帯を拠点としていた。安倍頼義（のちに頼時）が朝廷への貢租を怠ったことをきっかけに前九年合戦が勃発した。この戦いで、陸奥守藤原頼義が出羽の豪族清原氏の協力を得て安倍氏を滅ぼした。戦功を挙げた清原武則は朝廷から鎮守府将軍に任じられ、奥羽の最大勢力となった。この時、安倍氏についたことで藤原経清も斬首されたが、その妻（安倍頼時の娘）は遺児を伴い武則に再嫁した。この遺児がのちの清原清衡《きよひら》である。

その後、清原氏一族で内紛が起き（後三年合戦）、源義家の介入により助けられた清衡は、実父の姓藤原を名乗って奥州藤原氏の初代となり、拠点を平泉に移した。

清衡は長きにわたる戦乱で落命した魂を供養するため、まずは中尊寺の造営から着手した。末法思想によって浄土信仰が強まっていた時期に戦乱が続いたことは、当時の人びとからすれば偶然とは到底思えなかったことだろう。平泉のコンセプトは「浄土」なのである。奥州藤原氏三代は強大な財力と武力を誇り、その栄華は鎌倉の頼朝に滅ぼされるまで百年続いた。

町を縦横無尽に歩いて回る。ＪＲ東北本線平泉駅の正面からのびる道を毛越寺《もうつうじ》通りといい、突き当りに山門がある。その手前には二代基衡の妻が造営したといわれる観自在王院跡。線路の東、北上川側には三代秀衡の屋敷だった伽羅之御所跡と、宇治の平等院鳳凰堂を真似て秀衡が建てたといわれる無量光院跡、奥州藤原氏の政治拠点だった平泉館跡をふくむ柳之御所跡がある。川に沿って北上すると義経が自刃したと伝えられる高館で、のちに仙台藩伊達氏の四代目が建てた義経堂《ぎけいどう》がある。ふたたび線路を西側に跨ぐと中尊寺へのぼる月見坂入り口へ出る。

多くの歌人や文人がこの地に引き寄せられてきた。その一人ひとりを記念するように、町のいたるところに歌碑がたてられている。藤原秀衡や源義経の同時代人としては西行が、奥州藤原氏滅亡後は芭蕉がその代表格であろう。芭蕉の「おくのほそ道」の一部は中学国語の教科書にも載っているし、「月日は百代の過客にして、行きかう年月もまた旅人なり」という冒頭文は口をついて出てくる。私は平泉にきて、さまざまな具体物を目にすることができた。詳細な解説を読むこともできた。しかし芭蕉が訪れた当時平泉は荒れ果てていた。『義経記』などを愛読していた芭蕉は一路高館へのぼり、義経主従最期の地で感慨に耽った。

三代の栄耀一睡の中にして、大門の跡は一里こなたにあり。秀衡が跡は田野になりて、金鶏山のみ形を残す。まづ高館に登れば、北上川、南部より流るる大河なり。衣川は和泉が城をめぐりて、高館の下にて大河に落ち入る。泰衡らが旧跡は、衣が関を隔てて南部口をさし固め、夷を防ぐと見えたり。さても義臣すぐつてこの城にこもり、功名一時の叢となる。「国破れて山河あり、城春にして草青みたり」と、笠うち敷きて、時のうつるまで涙を落としはべりぬ。

夏草や兵どもが夢の跡

弟子の曾良は「卯の花に兼房見ゆる白毛かな」の句を残しており、その歌碑も高館から下ったところにあった。兼房は義経の老臣で、主人の最期を見届けた後に館に火を放ち身を投じたとのこと。かつては清水が湧いていたそうだが、今は枯れてしまっている。弁慶のほかに名を残した臣下を知らなかったと、傘にあたる雨音を聴きながらしばし佇んでいた。

雨に濡れて緑は生き生きと茂っている。確かに平泉はかつて完膚なきまでに滅び去った夢の跡である。しかしインターネット上に書き込まれた「跡ばかりで何もない」「どうということはなかった」という無味乾燥なコメントを目にするたびに違和感を覚えた。こういう人は一体、何を期待してここへやってくるのだろうか？　田野を見て涙した芭蕉には遠く及ばないまでも、私は私なりに想像力をはたらかせながら旅しているつもりだったから、どろりとした嫌悪が湧き出してくるのを止められなかった。人間には目に見えないものを見る力がある。中尊寺金色堂の旧覆堂の傍に佇む芭蕉の目を見つめたら、あらためてそう信じることができた。

二　義経の周囲

『義経の周囲』で印象的なのは、作者大佛次郎が歴史上の人物たちにむける公平な眼差しであった。源義経の名をタイトルに据えながらも決して正面から語りえないのは、ごく当然のことである。「短く華やか」な生涯を送ったという共通項から、彼はジャンヌ・ダルクを引き合いに出した。彼女には、その人物像を示す確固とした証拠＝裁判記録が存在している。フランス国民がジャンヌを英雄とみなし慕うのには根拠がある。一方の義経は総計二年余りの極めて短い時間しか正史に姿を表さない。死後に出現した牛若丸のエピソードは歴史ではないのである。根拠不明の補足事項である。三十年の生涯のうち二十七年強が補足とは怖い話ではないか。大佛はそんな彼を英雄に仕立て上げてしまった日本人代々の「心理的基底」に問題があると指摘する。

大佛はまず、義経を主人公にした諸作品の成立の経緯をていねいに解きほぐした。事実と推測を整理することは、フェイクニュースの蔓延る現代にも絶対不可欠な思考のプロセスである。義経その人が進んで伝説になろうとしたわけではない。義経に付される英雄のイメージの影で、必要以上に悪者にされた人物も存在する。民衆にとっては痛快であっただろうが、それが誰であろうと、実在した人物を脚色して消費することを大佛は是としない。しかしその批判の仕方には彼の心根のやさしさ、人柄の温かさが滲み出ている。私はすっかり大佛次郎という人に親愛の情を抱くようになった。最終章「夏草」の締めくくりには三つの問いが投げかけられる。

「御大将、判官義経公の物語が、たとえ平泉が近いとは言え、奥羽の土地にひろく人気があって、祭文を読む山伏や琵琶法師の得意の演目になって語り継がれたのと同じく、北の国の天候の中の生活が、話の成長には肥沃な土壌となったのではないか?」

「九郎判官義経なら、自分たちが出たらめに夢見るような粋な事も全部、実現したことと見たのか?」

「義経はこのどの辺を自分の最後の場所に選んだのだろうか?」

これらの問いは、義経が伝説に彩られた存在であるという事実を一旦冷静に受け止めたうえで、「創造」ではなく「想像」するのであればよいのでは? という大佛から私たちへの提案のようにも受け取れる。私は想像する。恩人秀衡亡き後、義経は自分の行く先に希望を見出し得ただろうか。泰衡に攻められ、彼は最期に何を考えただろうか。死ぬ前に自ら殺した妻子の墓は、私が滞在していた宿の裏手にひっそりとあった。武家の作法は今から見ると残酷で哀しい。

謎に満ちている義経を語るのにくらべて、大佛は自らが対面したことのある秀衡についてはその印象を踏まえて筆圧高く書いている。対面とはつまり、一九五〇年の調査時に中尊寺金色堂にて秀衡の棺が開けられた時のことである。彼はその目で確かめた。秀衡の胸のたくましい盛り上がりや高い鼻筋、広い額、顎の張った下ぶくれの大きなマスク。威厳ある顔立ちから、在りし日の姿を見ようと想像力をめいっぱい働かせた。

義経の周囲で、物語の上でも史実の上でも、終始変らぬ同情を持ってくれた人物、更に人間としては

> 鎌倉の頼朝も及ばぬほどに大きく、寛大で、北方の巨人なり王者の名に値したのがこの秀衡である。

この時代の日本にあって名実ともに最も偉大であろう人にふさわしい一文のように思われる。「北方の王者」の称号はまさに大佛次郎によるもので、以降藤原秀衡の代名詞となる。

一九五〇年の調査をきっかけに平泉は一般の注目を集めることになり、盗難事件も発生した。一九五五年には国宝や文化財を収蔵する讃衡蔵《さんこうぞう》が造られた。金銀を用いて書かれたお経をはじめ、藤原氏の副葬品の数々、棺に収められていた念珠や刀、金塊、袈裟なども見ることができる。枕はなんと頭の形に凹んでいた。藤原秀衡は確かに存在した人で、今現在も金色堂に安置されているのだ。平泉滞在中に私が身を浸していた空気は、八〇〇〜九〇〇年前に藤原氏が作ったものと同じだった瞬間も確かにあった。この不思議な確かさは、今までに経験したことがなかった。

私は「安房国」出身だと本誌でも何度か書いた。太平洋に突き出た半島であるそこは、日本の歴史のなかでは影の薄い存在だ。通り過ぎられる場所ですらなく、陸の孤島的土地柄であるなかで、対岸の三浦半島に開かれた鎌倉幕府のことを身近に感じてきたところがあった。石橋山で挙兵した頼朝は真鶴より小船に乗り上総国に退却、安房にも来ているため頼朝にまつわる伝承がそこここにある。京の公家文化よりもずっと、あずまの武家の文化からくる血のほうが自分には色濃いのだと思う。

パラダイムチェンジが起きるときに新勢力が旧勢力を凌駕する様は見ていて清々しく、平氏についていた武士団が続々と源氏に乗り換えたことについて「自分たちの上にのしかかっている律令国家から離脱しようとする新らしいエナージイの連鎖的爆発」と書いた大佛の表現に気持ちがスッとした自覚もあった。しかし、新たに打ち立てられる幕府もまた封建制のもと成り立つものだった。江戸幕府を倒した明治政府が作ったのもまた、天皇を頂点とした封建的体制だった。様変わりしたように見えて根本的に変わっていないのが日本という国なのだろう。

歴史上に名を残した偉人も、そうではない市井の人々も、この世に生まれ落ちたからには死ぬまでのあいだ生きるほかなかった。いつの世も諸行無常、盛者必衰の理に例外は存在しない。平家物語の冒頭が私はとても好きなのだ。歴史に組み込まれれば現代の成功者も例に漏れない。このことは凡庸な私にとって心が癒される理なのである。

三　大佛次郎と花と猫

四月下旬から五月上旬にかけての平泉は過ごしやすく、北国といった印象は感じられなかった。ソメイヨシノはほぼ散っていたが、八重桜が花盛りで可憐だった。中尊寺本堂の門や、武蔵坊弁慶の墓のところに咲いているものが華やかで印象的だった。地面に視線を転じれば芝桜が、民家の庭や小さな畑にもチューリップや水仙などの花が植えられており、町中花で溢れている。タンポポなどの野草が咲き乱れているのも新鮮に感じられた。平泉はまるで町全体が浄土庭園のようなところだ。

積み重なってきた時間の層を自由自在に飛び越えていける感覚があった。私を平泉に導いたのは大佛次郎だった。猫と花を愛し、歴史の波間を縦横無尽に往来して膨大な作品を残した大佛の巨大さに圧倒される私に、彼は作品を通じてこう呼びかけていたのだ。いいから、平泉に行ってごらんなさい。日本の歴史をもう一度学び直すといいですよ。

橘忠衛『火崑岡《こんこう》に炎ゆれば』に影響を受けたかもしれない。世界のことを知るためには、まず自分の庭であるところの日本の歴史を学ばないことには始まらないという論が展開されているからである。中国のことわざに「崑崙《コンロン》火を失して玉石倶《とも》に焚《や》く」がある。玉と石、つまり価値の高いものも低いものも、火事が起きれば一緒に焼けて失われてしまうことを表している。源家三代と同時代人に藤原定家がいるが、承久の乱の折には「火崑岡に炎ゆれば、玉石倶に焚く」と言ったらしい。

都会の暮らしに慣れ切ったすべての人に見せて回りたいくらい、長閑な田園風景の中を歩いていた。猫にリードを繋いで散歩させている老女とすれ違った。猫はずいぶん丸々していて、ずいぶん大きかったので、一瞬犬かと思ったがやはり猫だった。大佛次郎の生まれ変わりがどこかを歩いているかと気をつけながら町を練り歩いたが、滞在中平泉ではこの猫一匹しか見かけなかった。

四月三十日は私の誕生日でもあったのだが、なんということはない凡庸な一日であった。

〈小特集・大佛次郎〉

裏切り者の幻影

――大佛次郎「地霊」を読む

山本恵美子

一　エヴノ・アゼフ

大佛次郎の作品には、史実を題材にしたノンフィクション小説が少なくありません。筆頭はライフワークとされる大長編作『天皇の世紀』でしょう。『パリ燃ゆ』がそれに続きます。おなじく近代フランスを扱ったものには「ドレフュス事件」、「ブゥランジェ将軍の悲劇」、「パナマ事件」があります。

他方、帝政ロシア末期の社会主義革命運動を扱ったのが、「詩人」と「地霊」です。いずれも、十九世紀末から二十世紀初めにかけてロシア革命運動を代表した組織のひとつ、社会革命党（エス・エル）にまつわる出来事を描いています。

「詩人」が書かれたのは一九三三年、「地霊」が書かれたのは一九四六年。両者は同じ題材でありながら、「詩人」からずいぶん時が経って「地霊」が書かれたのは、「詩人」の発表時、すでに満州事変が起こったあとであり、日本について書いた部分が検閲によって削除されたことで、「地霊」を書いて発表するのが不可能だと知ったからだといいます。

特に私が衝撃を受けたのは「地霊」でした。「事実は小説より奇なり」とはいうものの、まさか、このようなことが実際に起こり得るとは。いえ、もっと正確に言えば、「このような人間が存在し得るとは」――が、私の第一の感想でした。

「このような人間」とは、社会革命党の結束の当初から党の一員で、暗殺実行部隊である戦闘団を指揮したエヴノ・アゼフ。彼は同時に、ロシア秘密警察のスパイでした。アゼフがスパイであったこと自体に私は驚くのではありません。いえ、もちろんそのことも驚くべきことに違いないのですが、とはいえ、戦闘団の指揮者としてのアゼフは偽りであり、秘密警察のスパイが彼の真の姿であったというならば、アゼフという人物の内面はずいぶんと理解しやすかったに違いないでしょう。

しかし事実は、どちらのアゼフも偽りだったということを物語ります。アゼフは社会革命党をも警察をも裏切っていました。スパイとして多数の革命党員を警察に売り渡しながら、テロリズムの指揮者として何人もの要人暗殺を計画し、すべてではないにせよ、成功もしているのです。成功した暗殺の中には内務大臣、モスクワ総督といった中枢人物さえいます。

それればかりか、ついには皇帝ニコライ二世の暗殺を指揮し、もう少しで実行するところまで事は運んでいました。アゼフを告発したブルツェフとのちに再会した時、アゼフは恨むような口吻で、「君があんなことをしてくれなければ、立派に皇帝を殺せていた」と言った、とされます。思わず耳を疑いたくなるような台詞ですが、作品を読むかぎり、あながち演技ではなく、本気で皇帝を暗殺するつもりだったのだろうと思います。なんという奇怪な精神構造をしていることでしょう。

大佛は、アゼフがニコライ二世を暗殺しようとした理由について、もはやアゼフの望むと望まないとにかかわらず、ニコライ二世を狙うしか道はなくなっていたのだとします。彼が数年をかけて築き上げてきた、社会革命党戦闘団における地位が、それを要求せずにいなかった。アゼフとしても、万が一自分が警察のスパイであることがばれたら、戦闘団の純粋・一途な若者たちがどんな行動に出るか、よくわかっていた。自分を守るためには、絶対に彼らの信頼を失うわけにはいかない。「つまらない人間を暗殺するよりもニコライ二世を仆そう、こう説く時、アゼフは彼らの信頼と尊敬の的と成って、自分が気丈夫でいられたのである。」と大佛は説明します。アゼフにとってニコライ二世の暗殺は、大義名分のためでもなんでもなく、ひとえに保身のためだったというのです。

ニコライ二世を暗殺したとあれば、警察に対する最大の裏切り行為にほかなりません。しかしアゼフはそれを恐れませんでした。そればかりか、一方でアゼフは周到にも「テロリストが皇帝を狙っている」と警察に報告し、有能なスパイとしての己をしっかりと演出していました。理想のため、秩序のためといった大義や建て前なくして人を殺すことができるアゼフは、普通の人間の善悪意識を飛び越えた、まことに稀有な精神の持ち主であると、まずは言えるでしょう。

二　肉体だけの存在

この驚くべき二重の裏切り者アゼフは、ひとりでに生まれたわけではありません。大佛は、彼の生みの親はロシア警察にほかならなかったとします。事実、アゼフに求められたのは、密偵以上の積極的な活動でした。

おそらく大佛が「地霊」を書くにあたり下敷きにしていると思われる、ボリス・ニコライェフスキー著『大スパイ：革命のユダ』（序文の日付によるとロシア語の原著は一九三一年。英訳は一九三六年、邦訳は英訳からの重訳で一九七八年に出版）によると、アゼフは「挑発者」（provocateur）にほかならなったといいます。ある特定の状況下で使われる時の「挑発者」ないし「挑発」の意味を、私はすぐに理解できませんでしたが、ニコライェフスキーは序文で「挑発」について次のように説明しています。

政治的自由の存しない、あるいはわずかより存しない諸国で、革命運動とたたかう手段としての挑発は、ロシアに限られたことでない。（中略）だが、他のすべての国々では特定の時期にだけ用いられ、従ってそれは決して伝統的とならなかったに反して、ロシアでは反対に、十九世紀にわたって政府と増大する革命運動との間の不断にして漸増する苛烈な闘争は、警察の最良の頭脳がその発達に応用された挑発を一制度として制定する結果となった。（中略）アゼーフの歴史は、疑いもなくそうした実例である。

もっとも、これだけでは、実際に「挑発」とはどのような行為を指すのかが今ひとつわかりにくいのですが、「地霊」の次のような箇所と組み合わせると、それがテロリズムの実行をけしかけることだというのが見えてきます。「確実に、巧妙にズバアトフは革命運動に対して先手を打った。警察が運動を助成し、組織化を計ってやるのである。果実が熟すように世話をして収穫の時を待っている農夫と同じ地位に在る。」アゼフの上司である警察長官ズバアトフの方針こそが「テロに出させてから叩潰す」というものであり、これが「挑発」の意味するところなのです。アゼフはこうした、当時のロシア警察の革命運動に対する施策によって生み出された存在でした。

大佛は「地霊」において、一般的にその意味が伝わりにくい「挑発」や「挑発者」という言葉を用いていません。それは「地霊」が大衆に向けて書かれた作品であり、先行研究の内容を大佛の視点で再構築したものであることを物語るでしょう。

そして、大佛が大衆に伝えたかったのは、あるいは「地霊」で描きたかったのは、アゼフその人というよりも、アゼフを生み出した当時のロシアの社会・政治情勢、特に腐敗した官僚制度の実態であったろうと思います。そのことを大佛は「地霊」のあとがきでも、はっきりと述べています。「甘いヒューマニストだった私は、アゼフのような怪物が人間の中から『出る』のを知って驚きの目を瞠った。この怪物を出生させた社会的条件に注意し、日本がひどくそれに類似しているのを知った。」

飼い犬に手を噛まれる形となったロシア警察でしたが、結局のところ官僚や政治家の関心事は組織内の力関係であり、アゼフ一人が起こした事件によって揺らぐような構造ではまったくありませんでした。アゼフの被害は警察よりも革命党戦闘団の若者たちに大きく及んだのです。大佛は次のように書いています。

寧ろ、アゼフが振撒いた毒は、警察よりもテロリストの陣営に深刻な影響を与えていた。ここは官僚の陣営と違って、惰性や自己保存の習性が決定的な勢力となっていない。テロリズムのような危険で、献身と犠牲を要求する行動には、徹底した人間的信頼が絶対的な条件となっている。同志の心の誠実を疑い始めたら、人はもう動けぬのだ。アゼフは不信の毒を撒いて去った。

アゼフの毒を中和すべく、サヴィンコフ——アゼフの右腕として働き、のちにロープシンという名で小説を書いた人物——はテロリズムの名誉を回復するために奔走しますが、アゼフが去るとともに、革命党内でのテロリズムの力は衰えていったといいます。

ところで、「地霊」の大佛の筆には、テロリストに対する共感が随所に現れています。それは、ロープシンの「蒼い馬」「遂に起こらなかったこと」を読んで共感を覚えたことが、当時のロシアの事情に興味を持った理由だと、あとがきで語っていることからも明らかです。

「地霊」と対照的に「詩人」で大佛が主人公に据えたのは、爆弾を投げようと腕を振り上げた瞬間、ターゲットであるモスクワ提督の乗る馬車の中に幼い子どもの顔を二つ認め、襲撃を思いとどまるというテロリストの青年でした。彼はそのうえ、後日、単独できちんと（？）

暗殺を成功させ、死刑となるのです。戦闘団のテロリストたちを騙し、スパイでありながらわが身のためにテロリズムを指揮してきたアゼフとは、その動機の純粋さにおいて、好対照な存在でしょう。

そして、こうしたテロリストたちへの共感が少なからず影響していると思われますが、大佛はアゼフのことを「途方もなく一代を肉体だけの存在であった」と断じています。これは、「アゼフは利己主義者だった」と書いたニコライェフスキーよりも強い表現です。「詩人」のカリャアエフが幼子を殺すまいとほとんど反射的に腕を止めた時のような良心が、アゼフにはまったくないということなのでしょう。

けれども私にとっては、アゼフの裏切りが浮かび上がらせたのは、戦闘団のテロリズムとアゼフのテロリズムの差異ではありませんでした。革命の実現にはテロリズムが必要だと純粋に信じ、自己犠牲をも厭わない前者と、ひたすらに利己的な、あるいは私的な動機からなり、嘘で固められた後者。両者が主観的にどれほどかけ離れようとも、客観的には同じだと言えるからです。

皮肉にもアゼフがその証明者にほかなりません。アゼフのテロリズムとて、見かけ上は純粋な若者たちが正しいと信じるテロリズムと何らか変わらないものでした。戦闘団の誰もが、アゼフは革命のためにテロリズムを指導している自分たちのリーダーだと信じて疑わなかったのですから。動機の貴賤にかかわらず、暴力は暴力でしかなく、それ以上でもそれ以下でもあり得ません。暴力を受けた側の人間や遺族からすれば、それだけが厳然としてある現実なのです。

社会革命党のテロリストたちにとって、アゼフの裏切りは紛れもなく毒であったでしょうが、それは実のところ、暴力を包み込んでいた純粋さという覆いを溶かし、暴力そのものを露わにするものでした。

三　俺れはテロリストか！

ニコライェフスキーが「利己主義者」とし、大佛が「肉体だけの存在」としたアゼフ。しかし依然としてアゼフは私にとって謎のままです。自己矛盾を知らぬ人、とはいえるでしょう。私の頭から離れない疑問は、なぜ彼は葛藤せずに済んだのか――です。こう思うのは、私が考える人間らしさの重要な要素として、葛藤があるからにほかなりません。それを強烈に私に植えつけたのは、ドストエフスキーの『罪と罰』でした。

『罪と罰』は、アゼフが生まれる数年前の一八六六年に書かれた作品です。現実とフィクションの違いはありながらも、アゼフや社会革命党戦闘団の世界と『罪と罰』の世界は、まったく地続きであるといえます。

主人公のラスコーリニコフは、非凡人は大きな善を成すために罪を犯す権利があり、良心に照らして罪の意識を感じる必要はない、という思想の正しさを証明するべく、悪どい金貸しの老婆を殺害する。これがすべての始まりです。ラスコーリニコフの考えは言うなれば、テロリズムを正当化する思想ともなりましょう。彼はしかし、罪のないリザヴェータをも殺してしまったことに狼狽し、直後から完全犯罪は崩れ出します。そして、自分は良心を踏み越えられない凡人にすぎないのか、と苦しみさいなまれるのです。ラスコーリニコフの葛藤は、自己分裂の激しい痛みを読者に見せるとともに、良心に照らして殺人に善と悪の区別はあるのか、という問いを投げかけずにはいないでしょう。

人は葛藤する。文学はその葛藤をこそ描かんとする。こう考えてきた私にとって、葛藤に陥る状況に追い込まれながら、葛藤しないアゼフが理解できません。当初は「挑発」活動の一環として社会革命党に入ったが、党の中核として、かつ、戦闘団の指導者として若いテロリストたちと行動するうちに、本気で革命をめざす気持ちが生まれ、やがて、親である警察側を裏切るようになった、というのであれば、そこに苦悩し葛藤するアゼフを見ることができたでしょう。しかし、アゼフはどうやら、そういう人物ではなかったのです。「どちらの側を向いてもアゼフは支配者であった。適度に敵味方に獲物を喰わせて、確実におのれの王座を築き上げて来た男がアゼフであった。」と大佛も書いています。

アゼフは苦悩・葛藤するようなタイプの人間ではなった。人間らしさを欠いた肉体だけの存在だった。奇怪であろうと、事実はそうなのだ。これを素直に受け入れればそれまでなのでしょうが、私にはどうしても、このところが腑に落ちません。大佛はどのように考えたのでしょうか？　大佛は大佛の狙いをもって「地霊」を書いたに違いないが、欲を言えば、もっと「怪物」アゼフの内面に踏み込み、創作性を強めたフィクションとして書かれたヴァージョンも読んでみたかった。そう思う自分がいるのを、私は認めないわけにいかないのです。

「地霊」における大佛の作家的態度は、作中のブルツェフをどこか思い起こさせるものでもあります。ブルツェフは逃亡中のアゼフの居場所を知り、面会の機会を得るのですが、政治史を専門にしている彼の目的はアゼフを捕まえたり糾弾したりすることではなく、秘密警察の内情を知り革命運動史の研究に役立てることでした。

とはいえ、アゼフが手で秤の真似をし、暗殺による社会革命党への貢献の重さに比べれば、党員を警察に売ったことは取るに足らない軽いものだと主張した時には、ブルツェフは思わず次のように言い返します。「いや、単にそれで済むことじゃない！　問題はもっと根本のものだし、各人の信条に関係のあることだね。」しかし、この言葉に対するアゼフの反応は、ブルツェフに議論を続ける気力を一気に失わせるものでした。「アゼフは驚いたように目を剥いてブルツェフを見返した。まったく彼には不可解のことらしかった。ブルツェフの方でそれ以上、同じ意味を押して行く気持を失くして了うくらいに、アゼフには、わけのわからないことなのであった。」

このブルツェフの沈黙と諦めを、乗り越えていかなければならないように思うのです。

アゼフとは何者かを考えるなかで連想されたものがあります。自分の吐いた嘘を自分で真実だと信じる錯覚に陥る人間のことです。私がそれを知ったのは、大西巨人『三位一体の神話』を通じてでした。その登場人物作中に発生する二つの殺人事件の犯人である葦阿胡右《いくまひさあき》が、「空想虚言」の持ち主です。作中、『平凡社大百科事典』を引用し、「空想虚言」の定義が次のように書かれています。「架空のことがらを本当らしく活発に物語り、それらしくふるまっているうちに本人自身も真実であると信じ込んでしまうような場合をいう。（以下、略）」葦阿は自分で自分の嘘を真実と錯覚している時があることを自覚しています。また、彼はあらゆる嘘を吐きながら生きていますが、嘘によっては、ほとんど日常的にそれを信じているものすらあることにも、自ら気づいています。

アゼフはこの葦阿のように、彼の右腕であったサヴィンコフや、その他、純粋な青年たちに信頼され、活動を指揮するなかで、本当に自分は革命家であると信じた（錯覚した）瞬間は、まったくなかったのでしょうか。常に自分の嘘と演技を自覚して生活していたのでしょうか。私にはそれは、嘘を真実と錯覚するよりもよほど難しいことのように思えます。そして、自己矛盾に気づかないことと、嘘を吐いたり、振りをしたりすることは、どこか似ています。彼は警察のスパイを演じ、また、テロリストのリーダーを完璧に演じました。周りの誰もが信じたその嘘を、彼自身もまた信じてしまったことが一度もなかったとは、必ずしも言えないのではないでしょうか。もし、繰り返しアゼフが錯覚を起こしていたとしたら、それにより罪の意識を感じにくかったということも、考えられるかもしれません。

このことに関連し、興味深い一文が「地霊」にあります。革命党の追跡を恐れてドイツに身を隠し、偽名を駆使してホテル暮らしをしていたアゼフは、第一次世界大戦の勃発後、ドイツ当局に拘束されます。アゼフは、自分が牢に入れられたのは敵国であるロシアの警察と関係があったためだと思い、ロシア政府とは無関係であると主張するのですが、アゼフが拘束されたのは、アゼフが想像したような理由ではありませんでした。ドイツは彼が危険な革命主義者でテロリストだから逮捕したのです。

この時のアゼフの様子を大佛はこう叙述しています。「アゼフは一時に凍りついたような顔附に化した。俺れはテロリストか！」この一文から、新たにアゼフの物語が生まれてきそうな気配を私は感じます。アゼフはこの時はじめて、自分は何者かを自分に問いかける契機を得たかもしれないのです。

自己矛盾に気づかないのは、何もアゼフに特殊なことではありません。自己矛盾の先にラスコーリニコフのような激しい葛藤が待ち受けているとなれば、目を背けるほうが何十倍も楽に生きられるでしょう。自分で自分を騙す弱さは、私にとって無関係な問題ではありません。アゼフは確かに容易に理解しがたく、怪物のような人間に見えますが、彼の幻影はすぐ隣に立っているのです。

『パリ燃ゆ』の鞍馬天狗

本誌定期コラム《眸のひらめき》は花田清輝の考え方に依拠している。エッセイ「太刀先の見切り」にこうある。「私は、批評家というものを、厖大な理論の背後に、かがやいている眸をみいだすような人物ではなく、眸のひらめきにさえ厖大な理論を夢みるような人物だと考えているわけだが、……」。

雑誌『新日本文学』一九六五年七月号は「パリ・コンミューンの教訓――大仏次郎『パリ燃ゆ』をめぐって」鼎談している。花田清輝、佐々木基一、広末保の三氏による。現代における革命の問題を、インターナショナルとの関連で明らかにしたいとして、論点は多岐にわたるが、では結局のところ大著『パリ燃ゆ』とは何であったか。「花田　どうですかね。最後までバリケードにいて、パーンと一発射ってどこかに消えてしまう無名の男がいるでしょう。あれは鞍馬天狗だね。（笑）」。批評家から放たれた雷光は、瞬間、大佛文学の全域を照らし出す。パリ・コミューンにしろ、幕末にしろ、革命前夜のロシアのテロリスト群像にしろ、大佛次郎が目を凝らし続けた人と場とは、つねに転形期としてのそれであった。

（伊藤龍哉）

薔薇

同人から大佛次郎の『旅の誘い』を勧められ、数日後に宅配便で届いたその本を一気に読んだ。無駄な修飾語のない品格のある文体に、私はすっかり魅了された。何か特別なことを書いているわけではなく、ごく日常のことがらを綴っているだけなのに、身体の中にすっと落ちていく感じがした。腑に落ちるとはこういうことを言うのだろう。中でも、鎌倉に住む大佛が東京の出版社へと通う折の、横須賀線から見える風景描写は圧巻だった。戦後でも保土ケ谷辺りでは藁葺き屋根の農家があって、その屋根には夏になると百合の花が咲いていた。屋根の百合に目がいくなんて、大佛は花が好きなのだと思った。

もう五、六年も前のことになるだろうか。自分の背丈より高い鉢植えを買ったことがある。花屋の店先でセール品になっていたその鉢植えは一重の白いつる薔薇で、なんともよい香りがしていた。一人ではとても持てないからと夫と二人でその鉢を家に持ち帰り、あまりにも嬉しくて、薔薇を買ったと恩師に自慢した。すると恩師は、貧しくても花を買うなんて石川啄木みたいではないか、とおっしゃった。夕飯のおかずか花か、そういう選択肢があるほど貧しいわけではなかったが、恩師の言葉を否定することなく、頷いて聞いていた。花なんて食べられない、といつも花を買うことを嫌う夫が、その時ばかりは協力的だった。

我が家の狭いベランダには、ところ狭しと鉢植えが置いてある。アイビーにまじって、ラベンダー、ローズゼラニウムなどのハーブや、ブルーベリー、オオデマリなどの低木もある。最も多いのは薔薇と紫陽花で、それぞれ種類の違うものが十鉢ずつはある。それなのに、季節ともなると新しい鉢植えを、いろいろに言い訳してつい買ってしまう。そうであるから、大佛がエッセイの中で薔薇や紫陽花の花に触れているのを見つけた時、大佛に親近感を抱いた。戦後すぐの頃、大船から山を越えて来たという老人から、薔薇の苗木だと偽られて野バラを買わされた話「野薔薇」（初出「学生」一九四六年）には、まるで私みたいと苦笑した。新聞はとらないと決めていたのに、断りきれず契約を結んでしまったことが何度もある。新婚当時、我が家には「富山の薬売り」が来ていた。騙すよりは騙されたいというのもまさに私に同じ、騙した時の後味の悪さを、大佛もきっと知っていたに違いない。

（堂野前彰子）

〈表紙写真解題〉

ポンペイの露台から
——表紙写真解題に代えて

立野正裕

一

分厚い灰の堆積の下からそれは現われた。下から見上げると高さは驚くばかりである。円柱を張り巡らした露台ででもあったのだろうか。そうだとすれば、かつてここに憩いながら談笑し、また星辰の緩慢な動きに時の経つのを忘れた人々があったのであろう。

ポンペイ遺跡ならびにイタリア南部をわたしが訪れたのは二〇一〇年の暮れから年が明けた一月上旬にかけてであった。帰国したのは二〇一一年ということになるからいまから十二年前である。そしてその年の秋、京都の立命館大学を訪ねる機会があった。おりしも学園祭のさなかで学内は陽気に雑踏していた。わたしが目ざした建物の付近だけがむしろ閑散としていた。わたしの目当ては開催中のプリーモ・レーヴィ展であった。

ところが展示会場にはいってみると、人っ子一人見当たらない。見学者は皆無であった。学園中が若者であふれ返っているというのに。だが、レーヴィはアウシュヴィッツ絶滅収容所をからくも生き延びて作家になった人である。代表作『休戦』（一九六三年）は邦訳されているし、イタリアの名匠フランチェスコ・ロージによって一九九七年に映画化もされている（日本公開時は『遥かなる帰郷』と題された）。そのような異常な経歴を持つ作家の展示会と現代日本の若い学生たちの陽気な祭がそぐわないのは当たり前と言えば当たり前だったかもしれない。混雑していないだけむしろわたしにはもっけのさいわいとも言えた。

しかしどういうわけか、この日に見た展示品のほとんどをわたしは覚えていない。マネキンが収容所の囚人服を着せられて立っていたような気がする。作家が執筆の際に用いた筆記用具がいくつかあったような気がする。モニターがあって生前の作家が映し出されていたのを覚えている。しゃべっているイタリア語がさっぱり分からないので、じきに別の展示物に歩を進めたことも記憶にある。それでいて、曖昧な記憶のスポットに一つだけ鮮明に浮かび上がるのだ。ガラスケースの一つを覗いたときのことである。

ケースのなかにA4サイズぐらいの白い紙が広げられていた。記されていたのは一編の詩と思われた。長さは二十五、六行といったところだろうか。作者はもちろんレーヴィであるが、掲げられていたのはありがたいことに日本語訳であった。レーヴィが詩人でもあるとは知っていたが、前にそれを読んだという記憶はない。展示されていることすらわたしは知らなかった。表題は「ポンペイの少女」《La Bambina di Pompei》。制作された日付けなのだろうか、一九七八年十一月二十日と書き込まれている。

ガラス越しに行を追いながら、自分はこれを読むために京都へやって来たのではないかという気がした。なぜなら、この年の初めにわたしはイタリア南部に行き、ポンペイの廃墟を見て来たばかりだったからだ。そのポンペイにまつわる詩にプリーモ・レーヴィ展で遭遇しようとは。むろん偶然であろう。とはいえ、詩をつぶさに読んでゆくうち、やはりたんなる偶然以上のなにか、あえて言うなら暗示もしくは暗合のようなものさえわたしは感じないわけにはいかなかった。その理由をこれからレーヴィの詩に即して語ってみよう。

二

ガラスケース越しにわたしが書き写してきた「ポンペイの少女」は次のように始まる。

人の苦悶はみな自分のものだから
まだまざまざと体験できる、おまえの苦悶を、やせこけた娘よ、
おまえはけいれんしながら母親にしがみついている
またその体の中に入り込みたいかのように
真昼に空が真っ暗になった時のことだ。
むだなことだった、空気が毒に変わり
閉めきった窓から、おまえを探して、通り抜けてきた
頑丈な壁で囲まれたおまえの静かな家に

おまえの歌声が響き、はにかんだ笑顔で幸せにあふ
れていたその家に。
長い年月がたち、火山灰は石となり
おまえの愛らしい四肢は永遠に閉じ込められた。
こうしておまえはここにいる、ねじれた石膏の鋳型
になって、
終わりのない断末魔の苦しみ、我らの誇るべき種子
が
神々にはいささかの価値もないという、恐るべき証
言になって。

ポンペイの廃墟の一角に立ったときのことが思い出された。わたしもこの少女の遺骸を見たのだった。少女は母親の胸にぴったりと顔を押し付けたまま息絶えていた。

少し離れたところに父親らしい人物の姿もあった。いったんくずおれたものの、片肘をついて必死に起き上がろうとしていた。その姿は、襲いかかる窒息の苦悶にさらされながらも、妻と娘を最後まで気遣おうとする父親の情愛をまざまざと伝えているようであった。たとい神々にはいささかの価値もないという恐るべき証言にほかならぬとしても、ついに滅ぼし得ぬものがやはり人間には実在するということのそれは証明でもあるようにわたしには思われた。

このあとレーヴィの詩は一転してポンペイの惨禍から遠い未来に思いを馳せる。それは一九四〇年代、現代のわれわれの時代からさほど隔たってはいない時代のことだ。

だがおまえの遠い妹のものは何も残っていない
オランダの少女だ、壁に塗り込められたが
それでも明日のない青春を書き残した。
彼女の無言の灰は風に散らされ、
その短い命はしわくちゃのノートに閉じ込められて
いる。

壁の内側で身を潜めて生きねばならなかった少女とは誰か。明日のない青春の日々をしわくちゃのノートに克明に綴った少女とは誰か。そういうオランダの少女がいたことを知らぬ者はない。レーヴィと同じように捕まってアウシュヴィッツに送られ、そしてポンペイの少女と同じように猛毒のガスを吸って死んだ。遺骸は焼却炉で焼かれて灰となり、掻き出されたあとは風に吹かれて影もかたちもなくなった。

さらにレーヴィの連想は伸びてゆく。アウシュヴィッ

ツの少女と同時代に生きた日本のある少女がいた。毒ガスではなく、人類がそれまで知らなかった種類の閃光に焼かれて死んだ二十万人のうちの一人だった。レーヴィは少女が壁に残した影について次のように書いている。

ヒロシマの女学生のものも何もない、
千の太陽の光で壁に刻み込まれた影、
恐怖の祭壇に捧げられた犠牲者。

火山の噴火による有毒ガスの犠牲になったポンペイの少女から、アウシュヴィッツ絶滅収容所でツィクロンBという猛毒ガスを吸わされたアンネという少女にレーヴィは思いを馳せ、そしてさらに、原子爆弾によって存在を掻き消されたヒロシマの女生徒の運命へとレーヴィの連想は及んでいる。

その詩を目にした同じ年の初めに自分がポンペイを訪れたこと自体は、偶然以上のことではなかろう。しかし続きがあった。もしもポンペイ訪問の際に思いがけず自分が目にした一つの像が、その詩を読みながらにわかに思い合わされたのでなかったなら、確かに偶然は偶然以上のものではないと自分をなだめられたであろう。だが、偶然が不思議な暗示の様相を呈することがやはりわれわれの経験のなかにないわけではないのだ。

三

ポンペイの町の廃墟に隣接して現在のポンペイの町がある。廃墟が発見され、発掘が行われるにつれ、新しい町ができた。異教の神殿の代わりにキリスト教教会が建てられ、聖堂が造営された。滞在中のある日、廃墟から出て町へはいり、聖堂の近くをわたしは歩いていた。前方の中庭の中心に一つの像が立っていた。周囲が鉄柵で囲われているため像に近づくことは出来ない。だから誰の像かは分からなかった。廃墟のなかに立っている古代の像とちがうということだけは明らかであった。身にまとっている衣服も僧服と思われた。したがってキリスト教の歴史のなかの誰か聖人の一人であろう。だが遠目に像を眺めているうちに、なにか直観のような、あるいは予感のようなものがわたしにきた。誰とも分からぬその像に改めてカメラを向けた。レンズをズームにして拡大してみる。像は両手を広げて天を仰いでいる。台座に文字が刻まれているが手入れされていないのか高く伸びた草の陰に隠れている。フェンスの格子のあいだからレンズを押し出して文字を読み取ろうと試みたが判読しにくい。少し位置をずらした。すると草の陰からレンズ越しにわたしの目がかろうじてとらえたのは、ブロック体で刻まれた五つの文字であった。KOLBEと読まれる。ほかの文言も見えるには見えるが語学に不得意なわたしには意味まで推測出来る語はないようだった。だが、像がコルベ神父と分かっただけでわたしには十分な驚きだった。アンネという少女と同じように、コルベ神父もアウシュヴィッツの犠牲者の一人である。

収容所から脱走者が出たとき、収容所副所長フリッツは決まりに従って逃亡者と同じ獄舎に寝起きする十人の囚人を無作為に選び出し、餓死刑に処すると宣告した。このとき、選び出された不運な囚人たちのなかの一人の身代わりとなることを自ら申し出て殺された司祭がいた。それがコルベ神父だった。

誰かの身代わりになって殺されることを自分から申し出る人間がいようとは思いもしなかった副所長は、前例のないこの申し出に困惑したであろう。なにか怪しげな企みがあるのではと疑いもしたであろう。だが結局申し出を受け入れると返答した。神父は飢餓で死ぬまで出ることのない部屋に連行された。

神父が生前ポンペイを訪れたことがあったのかどうかは分からない。わたしに分かるのは六年ぶりに長崎からポーランドへ帰国する途中でローマを経由したということぐらいである。あるいはそのときポンペイにも足を伸ばしたのかもしれない。もしもそうであったとしたら、のちにレーヴィが見て詩にうたった少女を、神父もおそらく見ているのではなかろうか。少女のほうに身を寄せようとして息絶えた父親の、いまわのきわ、懸命に身を起こそうとしている姿も目にしたかもしれない。

空想を語っても仕方がないことは分かっているが、ポンペイのあの父親と母親、そしてかれらのあいだにつっぷしたいたいけな少女、かれらの遺骸からかたどられた石膏像、それらを前に小腰をかがめるようにして向き合っている神父の姿が、わたしには妙にありありと目に浮かぶのである。アウシュヴィッツで一九四一年に死んだ神父は、四年後にアンネという少女がここで死ぬことも、また同じ四年後に自分の心の故郷と呼んだ長崎に原爆が投下されることも、むろん知るよしもなかった。

初めに述べたように、立命館大学にプリーモ・レーヴィ展をわたしが見に行ったのは二〇一一年の秋のことだ。そしてイタリアのナポリの南にポンペイ遺跡を見に行ったのは前年暮れから年が明けて間もない一月上旬にかけてであった。帰国してふた月のち、すなわちその年の三月十一日、東北地方太平洋沿岸一帯を大地震が襲った。次いで千年に一度とも言われる大津波が発生した。

死者一万八千人を超える犠牲者を出した。同じ沿岸部にあった福島原発はこの大津波のためメルトダウンを引き起こし、広範囲にわたって放射能汚染にさらされた。現在なお帰還困難地域とされる面積は三三七平方キロに及び、名古屋市全域に匹敵するという。

同じこの年の五月、わたしはギリシアに行った。イオニア海に浮かぶ小島、パクソス島に滞在した。

日本から来ましたと言うと、日本人がこの島に来たのを見るのは初めてという地元の人々から、地震と津波被害の模様をテレビで見て知ったと言って口々に同情の言葉をかけられた。わたしはろくに知らなかったがこの島もかつて大地震と津波に見舞われたことがあり、大きな被害を出したことがあったという。

八月、わたしはウクライナへ行った。首都キエフにチェルノブイリ原発事故博物館がある。訪問すると館内に白い大きな垂れ幕が掲げられていた。日本の東北地方沿岸部の被災、とくに福島原発事故による放射能被害をこうむった人々に対し、同じ苦しみを経験した国として心から哀悼の意を表すると、キリル文字ではなくアルファベットでしたためられていた。事故の深刻さを表わす七段階の数値で最高のレヴェル7に指定されているのは世界でチェルノブイリと福島の二か所だけである。館内の見学を終えて出口付近まで歩を進めてきてわたしは思わず足をとどめた。目の前のガラスケースのなかに展示されているのは、まぎれもない日本語の新聞である。黄ばんでいるから古い新聞だ。したがって報じられているのは福島原発事故でないことは明らかだった。目を近づけると『ヒロシマ新聞』とある。一九四五年八月六日の日付けになっている。第一面に巨大なキノコ雲の写真入りで報じていたのは原爆投下のことだった。わたしは目を疑った。原爆投下のその当日、爆心地である広島で新聞が発行され、キノコ雲の写真入りでスクープが掲げられている！　見出しはこうなっている。「新型爆弾廣島壊滅」！　あまりの意外さに絶句するほかなかった。数時間後宿に戻り、部屋に置いてあった持参のノートパソコンで詳細を知ろうとして検索し始めるとあっけなく真相が知れた。わたしが目にしたのは『ヒロシマ新聞』とはあるが、これは被爆から五十年目に記念制作されたものだった。最前の自分の慌てようを思い出して苦笑しないわけにいかなかったが、とにかく、原子力事故による放射能被害の実態と原爆被害を報じる「新聞」をともに展示するところに、この博物館の認識が如実に示されていたことは確かであった。

十数世紀以前に起きたヴェスビオ火山の爆発によって、

ポンペイの露台から――表紙写真解題に代えて

親子　ポンペイ遺跡にて　2010年12月撮影

地上から姿を消した都市の廃墟に横たわる少女の像を見つめるところから、レーヴィの詩は始まっていた。そこから詩人の思考はいっきょにアウシュヴィッツへ、ヒロシマへ、と伸びてゆく。それをもしわたしがその年の自分の旅と重ね合わせ、まるで自分の旅があらかじめレーヴィによって要約されてでもいたかのようだと言えば、僭越なこじつけということになろう。しかし、詩の最後にレーヴィが書きつけている四行の文言は、表現は異なるが年来わたしが言い続けてきたことでもあるとここに付け加えることだけは許されよう。

地上の有力者たちよ、新たな毒の主人よ、
致命的な雷の、ひそかなよこしまな管理人たちよ、
天からの災いだけでもうたくさんだ。
指を押す前に、立ち止まって考えるがいい。

〈トルソー〉

聖クララのデッサン

伊藤龍哉

舟越保武の画文集『巨岩と花びら』を手に取る
癖のついた目当てのページをひらくと
そこには聖クララの幾分憂いを含んだ
しっとりぬれた横顔が眺められる
舟越がかれのクララに出会ったのは
アッシジの聖フランチェスコ寺院の回廊であった
美しい人だった　彼女は少しうつむいて
石畳を打つ雨あしを動かずじっと見ていた
「私はその横顔を記憶しておこう」と彫刻家は思った

こうして聖クララのデッサンがひとつまたひとつ描かれた
そのうちの一枚に左の瞳をのぞいたものがある
わたしはドキリとした　心臓が早鐘を打ち出した
そして、わたしはいつもあなたの右の瞳ばかりを
愛おしくのぞきこんでいたのだったことを知った
柔らかにかがやいて黒目のよく動くあなたの右の瞳ばかりを
ほどなくして雲間から陽がさして来た、と舟越は書いている
彼女は立ち去った。「私は正面の顔を見たいと思ったが、
なぜか、その人の前にまわることができなかった。」
舟越を立ちすくませた彼女の清らかな寂しい静けさが
聖クララの左の瞳に張っていて　わたしを立ちすくませる
今わたしはあなたの左の瞳を見ている

〈エッセイ〉

かかる中隊長ありき

竹地冬和

宮前鎮男著『ある兵士の手記』（芙蓉書房）という本がある。野呂邦暢の『失われた兵士たち』（文春学藝ライブラリー）になみなみならぬ共感をこめつつ紹介されていた。入手して読み始めると、本書の事実上の主人公である上法真男中尉の第一印象がまず語られる。それを次のように部下だった著者は要約している。

「ここにくさむらを埋めている千余の将兵の誰よりも、これまで自分の経験した世界にある軍人の誰よりも程度の卓越した全くの軍人、自分達がいかに生くべきかという理想を明快に示し、自分達の行く手の先頭をたえず進んで、自分達に失望のかわりに希望を、怠惰のかわりに精進を、身を以て訓えてくれる人格をこの人の中に感じたのであった。」

読み進めるほどに中尉の風貌は際立つ。その存在の印象が深められる。部隊行動の場面場面の描出とともに著者はつぶさにそれを語ってゆく。

読みながらわたしにしきりに思い出されたのは、大西巨人作『神聖喜劇』に描かれる村上少尉の風貌であった。両者とも皇軍兵士として身を律する将校の矜持と責任感を一身に体現しているような青年たちである。

この村上少尉に関して、わたしには大西さんから課されたいわば宿題がある。それは村上少尉という存在をどのようにとらえるかという問題であった。雑誌『社会評論』に初出した論文で、わたしはもっぱら主人公東堂太郎との対比において村上少尉を考えていた。そして論文の末尾で、しょせん村上少尉は軍国主義者にとどまると一蹴した。雑誌が出た直後のある晩、大西さんから電話がかかった。きみの論考を読んだばかりだが、あれはちがう、村上についてあまりにも単純な見方であると大西さんは言われた。わたしは小説を読み返した。そして、作者がこの少尉を「しょせん軍国主義者」以上の人物とみなしていること、むしろ相当肯定的に描こうとしていることに改めて思いをいたさないわけにはいかなかった。他日村上少尉のみならず村上少尉的な日本人について、よくよく考えてみなくてはならないと思った。

論文の単行本収録を機にその課題に取り組んでみるつもりだったが果たせず、安易にもわたしは村上少尉についてのくだりをいったん削除することにした。それがその後もずっと気になっていた。

『神聖喜劇』全編の小説的な効果として、村上少尉によって体現されている皇国主義的な価値観と人生観は止揚されなくてはならない。その止揚が作者によって目指されていることも確かである。だが同様に確かなことは、作者が個人的に村上少尉にむしろひとかたならぬ好意を持っているということである。

すなわち、作者の主観的な視点からは、村上少尉がかなり肯定的に描かれていることも事実なのだ。それはちょうど、歌人・斎藤史に対する大西の深い共感と高い評価を思わせると言っても差し支えないであろう。

作中人物・村上少尉の行動とその思想、実在歌人・斎藤史の作歌とその生き方とに体現されているものが、かれらのいわゆる右翼的・天皇制翼賛的イデオロギーにつながることはまちがいなかろう。にもかかわらず、いわばそれをひとまず「超越」して、理想に対する人間の「則」と献身と熱誠の真正さを現わすものであることを見なくてはならない。それなくしてそもそも歴史を動かす人間的根源力とはなり得ないのだ。

そのことを、作家・大西巨人は文学によって、小説、評論またそれ以外の散文や発言を通じて、示唆もし、主張もし、現代日本の思想空無な精神風土に向かって、一貫して鋭い問いを投げ続けたのだった。

『ある兵士の手記』の副題は「かかる中隊長ありき」である。若くして戦歿した中隊長としての一将校との出会いとその人格の記憶の鮮烈さが、戦争を辛くも生き延びた著者のその後の人生に対して深甚な影響をふるうことになる。またそれが動機となって、十年がかりで大部の手記をしたためる持続的な情熱を支えきった。

こうして出版された本書は、戦後書き残されてしかるべき戦記または戦争の記憶というだけにとどまらない。本書は同時に、いまを生きているわれわれが忘却し得ない、忘却してはならない、かつての日本人の確かな存在の記録なのである。

〈エッセイ〉

島尾敏雄の「皺」

伊藤龍哉

次の文章は島尾敏雄の初期秀作「出孤島記」（一九四九年）からの引用である。

「Nは縁先にとび出して来た。みけんに皺《しわ》をこしらえていた。その皺は私を脅した。それは平凡な日常の生活を始めたなら、Nはきっとその皺を発作の度毎につくり出すに相違ない。その皺に私は果てのない退屈の魔の姿をちらと垣間見たと思った」。

「出孤島記」は、島尾の代表作「出発は遂に訪れず」（一九六二年）に先駆ける自伝的小説とよんで差し支えあるまい。すなわち、一九四三年九月末、九州大学を繰り上げ卒業すると同時に海軍予備学生を志願、第一回魚雷艇学生として㊃艇特攻要員に指名され、第十八震洋隊の隊長として奄美諸島加計呂麻島《かけろまじま》に赴任し、四五年八月十三日に出撃命令を受けるも、「発進」の号令を受けぬまま、「信管ヲ装備シタ即時待機」のうちに八月十五日の無条件降伏の日を迎えた作者自身の経歴に対応する。㊃艇とは、長さ五メートル、幅約一メートルの、飛行機エンジンをとりつけたボートのことで、へさきに二三〇キロの炸薬が装置されていた。敵から「スイサイド・ボート」と呼ばれた小舟で、ただひとりの搭乗員もろとも敵の艦船に体当たりすることで目的は果たされる。

「出孤島記」は、広島市と長崎市が一瞬に消滅したとの報が、小説の〈私〉に聞こえてきたころから、「運命」の八月十三日が何事もなく過ぎてゆき、翌十四日払暁を迎えたところで終わる。

　昨年九月、国文学研究資料館主催のシンポジウム「戦後に、書きつづけること――島尾敏雄原稿がひらく文学の戦後」の席上、報告者の石田忠彦は、冒頭に引いた

「出孤島記」の一節を紹介して自説の検証を公にした。

「『出孤島記』の主人公〈私〉はNと逢引きしている。Nは島の娘である。Nのモデルは、戦後島尾と結婚する、加計呂麻出身のミホ夫人と考えてよい。さて問題の、『Nは縁先にとび出して来た。』からはじまる箇所であるが、わたしはここを読んで気になった。この箇所は、明らかに特攻隊長として奄美に駐屯しているときのものではない。戦争が終わり、結婚し、二人が暮らしているときの様相である。〈私〉は明日にも死ぬかも知れない状況にある。そのときの〈私〉が、『平凡な日常の生活を始めたなら』Nはこういう態度に出るのではないか、ということを書くのは、どうしても不自然である」。

石田のいう「こういう態度」とはNの「発作」を指すのだろう。石田がこの箇所に違和感を覚えたのには、戦後二人が東京に移住してから、ミホさんに繰り返されたと聞く「発作」が踏まえられているのだろう。それはもっともらしい。だが実のところ事柄は全く反対なのではないか。島尾は、かれもまた一人の兵士として「出発」のときを待ちながら、そのただ中に、一つのヴィジョンとしてあの「皺」を見てしまったのではないか。

石田は「出孤島記」の草稿にあたってみたという。

「わたしは草稿を期待をもって読んだ。いま問題にしている箇所は、あとから付け加えられたものではないか。しかしそうではなかった。そこは、添《てん》も削《さく》もされず最初からきれいに書かれていた」。

石田とは反対の期待をもって耳を傾けていたわたしは、胸のすくような思いがした。「当たった」からではない。もし島尾敏雄が本物の小説家なら、かれはあの一節をあとから付け足したりすることなどできない、と言いたいのだ。なぜならあの「皺」は「出孤島記」の、延いては島尾敏雄という作家の根幹にかかわるからである。わたしの脳裡には別のある情景が浮かんでいた。

それはジョージ・オーウェルの初期秀作「絞首刑」に出てくる。若き日のオーウェルは大英帝国の警察官としてビルマ（現在のミャンマー）で働いた。このときの体験と観察をもとに生まれたのが「絞首刑」である。

語り手〈私〉を含む〈われわれ〉は死刑囚独房の外に待機していた。一人の囚人を待っていた。時計が朝の八時を打った。刑務所長が声を荒げた。「もうとっくに死んでなくちゃいかんのだぞ。まだ支度ができんのか」。まもなく四人の衛兵がその囚人を取り囲み、速足で絞首台に向った。〈私〉は思いもかけない場面に遭遇した。

「絞首台まではあと四十ヤードほどだった。私は自分の目の前を進んでゆく囚人の背中の褐色の素肌を見つめた。両腕を縛られて歩きにくそうだが、足どりは確かで、（中略）一足ごとに筋肉がきちんと動き、一房の頭髪が上下に踊り、濡れた砂利道に足跡をつけている。そして一度、衛兵たちに両肩をつかまれているのに、途中の水たまりを避けようとして、ちょっと脇にのいた。

奇妙なことだが、その瞬間まで私は、一人の健康な、意識のある人間を殺すということがどういうことなのか、まったく分かっていなかった。ところが、囚人が水たまりを避けようとして脇にのいたのを見たとき、盛りにある生命を突然断ち切ってしまうことの不可解さを、その何とも言えぬ不正を悟った」。

このとき、当の死刑囚にとっても無意識の所作が、〈私〉を震撼させたのだった。それは植民地で官憲として振る舞う〈私〉を底から揺り動かす衝撃であった。オーウェル文学を貫流するヒューマニズムの始原は、実にこの囚人の足どりひとつにもとめられるのである。

同じことが島尾敏雄の「皺」にも言える。四五年八月の、戦争の渦中に、Nのみけんの皺を見て「平凡な日常の生活」という考えがよぎり「果てのない退屈の魔」を垣間見るとは、まさに「その皺は私を脅した」のだ。それは、〈私〉が強いられ、かつみずから強いてもきた兵士の論理を脅かしたのである。兵士とはいかなる存在か。〈私〉はこう言っている。「この一年間というものは、そんな事情で、明けても暮れても、身体ごとぶつかることばかり考えてい」て、「せい一ぱい自殺艇の光栄ある乗組員であろうとする義務に忠実であった」。すると不思議な現象が起きた。「私は日に日に若くなって行った。つまり歳をとって行かないのだ」。

島尾は周到に、〈私〉がNに逢いに、Nの住んでいる集落に向かう道中、かつて〈私〉が目にした老夫婦のひとこまを描いている。「彼等の家の柱や縁板が潮風や嵐のために、流木のようにさらされていると同じように、歳月の皺で渋くなってしまったような一組の夫婦の爆音におびえるその姿は、見ていて気持のよいものだ」。

その光景を〈私〉が自分とは別世界、すでにかれが決別した世界のこととして眺めているうちは心穏やかであり得た。ところがNのみけんの皺は〈私〉にむかって向けられた。ほんとうに恐ろしいのは、「平凡な日常の生活」でも「発作」でも「果てのない退屈の魔」でもない。歳月の断ち切られた〈私〉の生そのものなのであった。

「果てのない退屈の魔」は〈私〉の実存に耐えるべき長命として予感され物憂く淀む。だがそれは兵士の論理を脱するヴィジョンでもあった。だから島尾は戦後、あれ程執念く「退屈の魔」を歩き続けたのではなかったか。

〈エッセイ〉

森鴎外「高瀬舟」と私

杉田絵理

あなたの人生のレールはだれが敷いたものですか?この問いのこたえに性差、地域差、世代差などの違いが存在するだろうか。一人ひとりインタビューして回ってみたい。

私の場合は両親だった。少なくとも大学卒業までの人生はそうだ。都度の選択は自分でやってきたつもりだが、私にできたのは試験にパスして選択肢を複数持つことと、その中から一つ選ぶこと、これだけだったような気がする。「勉強すれば選択の幅が広がるから大学には行った方がいい」と言われて育った。「あなたの人生なんだから好きなようにしなさい」と言われて生きてきた。実際は親の掌上に運らされていたにすぎない。家族が集まるとたびたびこの話題になる。妹と「親たちの思惑どおり転がされた結果が今だよね」と笑い合う。

しかし、両親は間違っていなかったと娘二人は考えている。子の個性を見極め、導いてやる。それが自分たちのとはまったくちがう道であろうとも、手探りであろうとも。事実、妹と私は似ても似つかない人生をそれぞれ歩んでいる。いわゆる「毒親」であれば、選択の機会すら子どもから取り上げ、自らの価値観の型にはめ込んだことだろう。

その上で私は文学部に進んだことがベストな選択だったと思える。「英語を学ぶために」という見掛け倒しの軸は早々に倒れ、私がのめり込んでいくことになるのは、人間とは何か、自分とは誰かを深掘りしていく作業だった。では私の文学的好奇心の根源は何だったのか。それを考えてみたくて、このごく個人的な文章を書いている。

私は子どものころから読書が好きだったが、中学生になるとほとんど本を読まなくなった。勉強が不得意だったので人より時間をかけて取り組む必要があった。時間をかけただけテストの順位はあがり、かけなければ落ちる。「勉強ができて偉いね」と褒められても、才能があるわけではないと自覚していた。親や教師に少しだけ反抗的になった。

高校では周りは自分より勉強ができる人たちばかりで、頑張っても適わないとすぐにわかった。友人たちは成績のよさをひけらかそうとはしなかったが、水面下で互いを意識していることは伝わってきた。定期テストの順位も、模試の結果も、すべて廊下に掲出されるのでランキングは周知の事実になる。私は争いが苦手だったので、競争に加わるのはやめようと早々に決めてしまった。これを今親に話したら驚かれるかもしれないが、私は「振り」をするのが上手かったのだ。

私は学校の授業を楽しみにしていた。中には「授業はレベルが低い。参加する価値なし」という態度を剥き出しにする生徒もいたが、実際彼らは優秀だったので仕方ないと思った。私はとくに国語の授業が好きだった。教科書に収められていたのは時の洗礼を受けてもなお現代に燦然と輝く名作の数々だったからだ。芥川龍之介「羅生門」、夏目漱石「こころ」、太宰治「津軽」、中島敦「山月記」、「源氏物語」や「平家物語」、「おくのほそ道」などの日本古典。「国破れて山河在り」ではじまる杜甫の漢詩。私は高校生になってはじめてこれらの作品を読んだ。笑われるだろうか。

森鷗外の「高瀬舟」を読んだのはいつだったか、その日は先生がめずらしくCDをかけた。男性の厳かな声で朗読が始まり、教室の空気が張り詰める。

高瀬舟は京都の高瀬川を上下する小舟である。

徳川時代、島流しの刑を言い渡された罪人は、京都から舟に乗せられ大阪へ運ばれた。このとき罪人のほかに近しい親類がひとり付き添うことができた。ふとした弾みで罪を犯してしまった不幸な者も多く、別れを嘆き悲しむ人たちを、護送役を務める役人の庄兵衛は数多見てきた。ある日、一人きりで舟に乗る罪人がいた。喜助と言った。彼は島流しの刑にあったにもかかわらず、どこか楽し気に見える。不思議に思った庄兵衛は、喜助に今何を考えているのかと訊ねる。喜助はお役人に話しかけられ、恐縮しながらも語りだす。

教科書を閉じていたのか、それとも文字を目で追っていたのかはもう忘れてしまった。喜助の語りは「弟殺し」の具体に差し掛かった。病で床に臥せるようになってから、兄ばかり働かせて薬代の負担まで強いていることに負い目を感じた弟が、刃物で自ら喉笛を切り裂いたが死にきれずに苦しんでいた。その裂け目から息がヒューヒューと漏れ聞こえてくる。苦しそうな息の音だ。顔を上げると、前の席に座る友人の肩が不自然に上下するのが見え、次の瞬間、彼女は椅子から左手に崩れ落ちてしまった。彼女が気を失っていたのは十数秒くらいだった。周りの生徒や先生が大丈夫かと声をかけ肩を揺すると、正気をとり戻した彼女は床に半身を立たせ、照れくさそうに笑いこう言った。「朗読を聞いていたら、リアルに思い浮かべてしまって……。でも、もう大丈夫です」

私はこのとき「高瀬舟」という作品が投げかける問題そのものより、小説が人の想像力をこれほどまでに喚起しうるということに衝撃を受けた。同時に、気を失った友人に嫉妬のようなものを感じた。

喜助が舟の上で楽しそうにしていたのは、弟と真面目に働いても次から次へと金が流れてしまったが、島流しの刑になって与えられた二百文がありがたく、この金を新たな仕事をする元手にしたいと考えているからだった。たった二百文と思っても、家族を養っている庄兵衛自身にはそれだけの貯蓄もなければ、生活に満足しているわけでもない。喜助が語る満足と何がどうちがうのかと考える。また「弟殺し」の経緯は、自殺を企て死にきれずにいる弟から、剃刀を抜いて死なせてくれるように懇願されたからだった。その目に圧倒されて喜助は意を決したのだ。一気に抜いた剃刀を手にして血まみれでいたところに、弟の世話をしていた老婆がやってきて、喜助は役場へ連行された。庄兵衛は喜助がしたことは殺人なのかという疑問を持つが、答えを出せず、奉行所の判断に従おうと結論付ける。

「高瀬舟」で描かれたのは足るを知ることと、生き地獄から救うための殺人は罪なのかということ、大きくこの二つだと教えられた。これは「人間にとって幸せとは何か」という大命題に関わる問いである。喜助、弟、老婆、庄兵衛、いずれかの立場にいつ自分がなるかもしれない。そのときどう考えどう振る舞うかを熟考することが作者からの要求であり、それには「人生のレール」も関係しているのかもしれないと思う。高校生だった私は無自覚でしかなかったが、「高瀬舟」が私の文学的好奇心の根源に関わるひとつの作品であったことは疑いがないように思われる。

〈エッセイ〉

彼らに絶望を強いたものは

――映画『ハイドリヒを撃て！「ナチの野獣」暗殺作戦』

下園つかさ

『ハイドリヒを撃て！「ナチの野獣」暗殺作戦』（二〇一六年）は、ナチス高官ラインハルト・ハイドリヒ暗殺を実行した「エンスラポイド作戦」を描く映画である。原題はその作戦名で『Anthropoid』となっている。高揚感のある邦題から受ける印象とは違って、映画の内容はとても重く暗いものだった。正直に言うと、何度も見たい映画ではないとさえ思う。全編にわたって絶望感が漂い、ほっとする暇は一瞬もないのだ。

ハイドリヒ暗殺の史実を描こうとすれば、暗くなるのは当然のことなのかもしれない。とはいえ、脚本と演出が暗さを選んでいる向きもあると思われる。というのも、悲惨な結末が近づく後半から暗くなっていくのではなく、冒頭から暗いのだ。映画は、パラシュートでチェコの森に入った青年二人（ヨゼフとヤン）がプラハに向かうところから始まる。彼らはハイドリヒ暗殺の命をロンドンの亡命政府から受けて、やってきたのである。二人は無事にプラハのレジスタンスの協力を得るには得るが、その場面で早くも、レジスタンスの一人の反対を通じて、暗殺の意義に対する疑問が呈される。

――無謀すぎる！　そんなことをしたらどうなるかわかっているのか⁉　ヒトラーはプラハを潰す。チェコに家族がいるんだろう？　皆殺しになるぞ。

――愛国者は祖国のために命を捨てる覚悟が必要だ。

――我々がどれだけの犠牲を払ってきたと思う！

――協力を無視したとロンドンに伝えるぞ。政府直々の命令なんだ。

――連合国に認めてもらうためか？　我が国をドイツ

に売った奴らだぞ！

この荒ぶる仲間の発言を引き取り、もう一人が言う次のセリフこそ、映画の肝であろう。

――ああ、会談は裏切りだった。だがそれも過去の話。亡命政府は我々に問いかけているのだ。チェコスロバキアはナチス・ドイツとたたかう意志はあるのか？ と。

会談とは、ドイツにチェコスロバキア領の割譲を認めたミュンヘン協定にほかならない。この場面で暗殺という目的が明らかにされるのだが、同時に、その悲劇的な終局がすでに暗示されている。そればかりか、遠く離れたロンドンで愛国心と犠牲を要求する、悪辣な政治家の姿が目に浮かぶ。派手な戦闘シーンでもなんでもない、とある一室での短いやり取りの場面で――しかも、映画の開始から二十分と経っていない――本作の重要な問いが示されている。「エンスラポイド作戦」とはなんだったのか？ 作戦を実行した彼らは、なぜ無惨に死ななければならなかったのか？ なぜ、暗殺の報復のために五〇〇〇人以上の人々が死ななければならなかったのか？

ナチスが凶悪だからか。それも一つではあるだろう。しかし、それだけではない。それぞれの帝国の思惑が背後にあるのだ。まさにミュンヘン協定が象徴しているが、ハイドリヒ暗殺――ひいては第二次世界大戦そのものを、ナチス・ドイツの侵略に対するたたかいという意味で理解することは見誤りである。連合国側を含め、各国の帝国主義が裏にあるという前提で考えなければ、事柄の本質を捉え損なうことになる。このことを映画は伝えたいのではないか。

わたしがそう思うもう一つの根拠として、この場面に呼応するように、映画の最後には次のような字幕が流れる。なんという痛烈なアイロニーであることか。

「市民に対するナチスの壮絶な報復を受け、チャーチルはミュンヘン協定の無効を宣言。自由のために戦ったチェコを重要な同盟国と認めた。」

映画は、ハイドリヒ暗殺作戦の実行から教会での籠城、銃撃戦までの一連の出来事を描いていく。無事にハイドリヒを暗殺できるのか。わたしは緊張感のなかで物語を見つめていた。結果としては、機関銃が詰まりハイドリヒを撃つことはできなかった。しかし、そのときに受けた手榴弾による負傷がもとでハイドリヒは後日、死亡する。計画通りではないが目的は果たされたのだ。

このあと当然ながら、すぐにナチスの犯人探しと報復が始まる。教会に身を隠したヨゼフとヤンは、暗殺の代償の大きさを知って愕然とする。それは二人の想像をはるかに超えるものだった。彼らを匿った疑いで無関係の村が襲われたのである。男は皆殺し、女、子どもは収容所送りとなった。噂や虚偽の密告により、多くの人々が標的とされた。絶望的な現実だ。そんな現実をつきつけられたら、わたしならその場から一歩も動けない。

ヤンは、自分とヨゼフが犯人として自殺すると申し出るが、仲間は軍人なら戦って死ぬべきだ、君たちは悪くないと反対する。もっとも、このとき確実に彼らの死ぬときは近づいている。レジスタンスの仲間の一人の裏切りで教会にいることがばれてしまうのだ。

「軍人なら戦って死ぬべきだ」という言葉と相反するようだが、映画はヨゼフのこともヤンのことも、英雄として描いてはいない。たとえば、ヤンは作戦の前夜、武器を整えながら、至近距離での射殺は初めてだと震え出す。また、ヨゼフはハイドリヒを撃とうと飛び出したはいいが、機関銃が詰まって失敗し、必死に追跡を逃れる。ジェームズ・ボンドのように冷静沈着にことを運ぶ暗殺のプロではないのだ。本来ならば、人を殺すことも、殺されることもない市民生活を送っていたはずなのだ。戦争がなければ。

レジスタンスの人々は、絶望の淵に立ちながらも耐え、たたかい続けた。それは信じられぬことだ。だが、わたしは、彼らの行動をヒロイズムにはめ込みたくはない。ヨゼフもヤンも、自分の意志でレジスタンスに命をかけたのは確かだが、では、彼らに死の覚悟をさせたのはなんであるか。戦争が彼らに非情な選択を迫ったのだ。すなわち、理不尽な暴力とたたかうか、たたかわざるか。いずれの道を選んでも希望は見えない。たたかうことを選んだ彼らは、希望を捨てなかったということになるだろうか？　そうだろうか？　希望など、ろうそくの灯火ほどもあっただろうか？

レジスタンスに身を投じた人々はどんな状況でも未来に希望を捨てなかったと称えるのは、無邪気で楽観的すぎる。それはのちに生きる者の無責任でしかないのではないか。わたしはむしろ、彼らの存在をわたしたちの希望とするべきなのだと思う。いうなれば、未来にとって過去が希望となるのだ。そして、彼らに絶望を強いた帝国の論理に否と言える人間でありたい。彼らの絶望を絶望のまま終わらせないために行動することが、その死を受けとめるということに違いないのだ。

《Reclam》
『キイランド短篇集』（岩波文庫）
前田晃 訳

十九世紀ノルウェーの作家キイランドの掌編「枯葉」は、わたしには恋の「経験」として今も疼く、本書の劈頭を飾る名品である。

物語は秋の末、木々の葉は落ちつくした頃、風が吹き集めた落ち葉の山のそばで、少女が一人、何物か取り返しのつかぬものを取り落としてしまったように傷ましい失望を湛えている。少女の座る椅子に手をかけた男もしかめ面を作っている。男は身を屈めて言う。

「ね、もう、さう真面目に取るのは止さうよ。」「誰だって、いくら思ひ合ってたって、たまには喧嘩もするさ。ね、ただ、それっきりのことぢゃないか。」

「それはさう！」少女は叫んだ。「でも、喧嘩なんか起りっこないやうな恋もなければならない。でなければ——でなければあたし、間違ってゐたんだ。あたし達の恋といふのは唯——」

男は諄々と説いた。お互いの弱点を忍び合うことを。下らぬ些細な不和があろうとも、美しい紐が二人を結びつけていることを。

「枯葉だわ、」すると静かに少女は呟いた。立ち上がると足で落ち葉の山をかき散らした。そのまま歩き出した。男はというと、黙して少女の後ろに従った。男の胸中には、女は百里も先へ行ってしまったのではないかという、虚けた不安が広がり始めていた。……

二人は去った。空の椅子が取り残された。「喧嘩なんか起りっこないやうな恋」とはどういうものであろうか。再び風が木の葉を積み上げていく。そのとき、わたしの身内を、かつて読んだ中野重治の文章が吹き抜けた。「われわれは、多くの人が、民主主義者をもふくめて、生活上の便宜ということを恋愛から引きはがそうとしているのを見ている。（中略）けれども、生活上の便宜ということは、決して問題のその場かぎりでの処理ということではない。本質的生活の部分的・具体的処理ということである。（中略）あなた方のうちの一組の間に愛が生れたとき、あなた方は、相手が何を働いているか、どれだけの賃銀を得ているか、どこの組合でどういう方向で活動しているか、どの政党を支持しているかなどいう『世俗的』『生活の便宜的』問題から独立にその愛を純粋に育てようと考えるかどうか。」

（T・I）

〈小説〉

ノンエッセンシャル・ライフ

――こもりびとの手記

牧子嘉丸

1

悪疫流行のためお上から不要不急の外出罷りならぬというお触れが出たかと思うと、やがて物見遊山勝手たるべし、いや大いに気散じに遊行行楽に出よとのご沙汰。金一封まで賜るというので、喜んで出かけようとすると、その舌の根も乾かぬうちに一転。この危急存亡の秋《とき》に街をふらつくとは何事か、この非国民め、と言わんばかり叱責・懲罰の鞭に、令和の臣民はなはだ恐懼して、疫病退散をアマビエに祈るしか手立てがなかった。

　後世、そんな世相を揶揄する戯文が出てもおかしくないほど、人々は為政者に翻弄され、さだめなき運命に身をまかせるしかなかった。かくいう私もその哀れな庶民のひとりであった。疫厄《えきやく》の跳梁に春先から夏の終わりまで逼塞して暮らしていた。劇場は閉鎖され、芝居も映画も見ることができない。図書館も利用停止し、古書店も休業を命じられて、読書の楽しみも奪われた。あのつるつるとした表紙を並べる蛍光灯のきらびやかな新刊書店には私の読むような本は見当たらない。私は書斎に閉じこもって日々を過ごすしかなかった。

　そんな私の唯一のなぐさみは広い公園での凧揚げであった。鬱屈に耐えず、散歩に出かけた私はひょんなきっかけで知り合った男性から、凧をそれもふたつも貰ったのだった。

「よく揚りますね」と恐る恐る話しかけると、ふいと私の手もとのビキニの切れ端みたいな凧に目をやって、「それじゃ、だめですね」といった。まったくこのビキニは、ひらひらと舞うだけで、急転直下の墜落を繰り返していたのだ。
と、「ちょっと、これをもって」といきなり凧糸を渡されたのだった。ぐいぐいとひっぱる手の感触を味わって、ひさしく忘れていた感動を覚えた。凧が落ちそうになると、「引いて、もっと引いて」と言われ、上昇すると「緩めて、緩めて」と教わった。凧は大空の彼方にどこまでも吸い込まれていく。私が夢中になっていると、「じゃ、これで失敬」と背をむけた。私があわてて糸を渡そうとすると、「あげますよ」といって去っていった。それはグラスファイバーの骨組みで、強風でもしなやかに曲がって上昇した。それから、私は風のあるときは、三日に一度のわりあいで、凧揚げに通ったのだった。

初夏のある日の午後、凧揚げから帰った私は若手俳優Mの自殺のニュースを知った。容貌だけを売り物にするような空疎で軽薄な連中が多いなかで、誠実そうな人柄が画面からも伝わってきた。そんな爽やかな印象の俳優だった。仕事も順調で、何本ものドラマや映画の出演予定もあったという。世間も驚いたが、とくに女性ファンの嘆きは深かった。遺書の存在や内容の公開の是非をめぐって、さまざまな憶測がめぐり、また幼年記からの家族関係もとりざたされたりした。

それから二月ほどたって、秋風が吹き始めたころ、今度はTという女優がやはり自宅のクロゼットで縊死した。夏の盛りをすぎて、流行も下火になってきた矢先であった。

何年か前に歌舞伎役者との熱愛報道が伝わり、やがて結婚。一児をもうけて幸せな家庭を築いているかに見えたが、突如離婚のニュースが流れた。私はそれ以降の彼女の生活は知らなかった。が、今回の事件で年下の男性と再婚、あらたにふたりの間の子どもを得て、先夫の子とともに四人で暮らしていたという。都内の高級マンションで、家賃が二百万円ほどだったというから、これまた女優としての好調ぶりが想像できた。

愛くるしい笑顔が特徴で、やがてときおり見せる蠱惑《こわく》的で謎めいた表情も演技に深みをましていた。残された夫とふたりの子ども、下はまだ一歳の乳児であることを思うと他人事ながら、胸がふさがる思いがした。それ以上に三人を残して先立つTの心中はどうであったろうか。MもTもふっと魔界に入口に立ったのだろうか。そして、そのまま……。

その連日のニュースも下火になってきたころから、今度は半世紀前に死んだ作家Mの回想記事が週刊誌や新聞に出始めた。テレビ・ラジオでも特集番組が組まれ、未公開フィルムを基にしたドキュメンタリー映画の宣伝も盛んに流れた。

　ノーベル文学賞を受賞した先輩作家Kを囲む座談会や東大全共闘との討論に挑む映像、そして、最後はかならず自衛隊市ヶ谷駐屯地のバルコニーで獅子吼するおなじみの姿が映し出された。思えば、私が大学受験を控えて予備校に通っていたときで、駅前商店街の電気屋のテレビで見た記憶がある。この事件にショックをうけて、私は翌年の受験に失敗した。というのは言い訳で勉強が足りなかっただけである。

　私はこのMという作家が嫌いで長い間読まなかった。というより、当時は一種のタブーであった。Mが好きだということは、特定の思想のあからさまな表明であり、文学以前に常識まで問われかねないほどであった。

　Mには青年時代に、戦後一躍流行作家となったDに対して、「Dさん、私はあなたの文学が嫌いです」と面とむかって言ったという有名な話がある。Dを囲む集まりにわざわざ出かけて行って、そう言ったというのだから、よほど何か心に期するものがあったのだろう。そのとき「嫌いなら会いに来なければいいだろう」と憤然としたとか、「いや、君は僕のことが本当は好きなんだ」と余裕でかわしたとか、いくつかのエピソードがある。いつも若い取り巻きに囲まれていたDにはいささかショックだったかもしれない。それから数年後玉川上水で女と心中して世間を驚かせた。

　Mは後年自分の非礼を反省しながらも、Dについてはまず顔が嫌いだったことと何よりその文体が厭だったと告白している。私はMが話題にのぼると、いつもその言葉をなげかえしてやりたい思いがした。顔のことは論外だが、私はどうしてもMの小説の人工的な文体になじめなかった。それはまだしも、このひとの時代錯誤のアリストクラシーへの心酔に強い反発を感じた。

　しかし、折に触れて目にする作家論や文学論の一節には、はっと蒙を開かせられることが度重なった。そして、たまたま見たMの芝居「わが友、アドルフ」には感嘆した。どうせファシズムへのシンパシーをナチスの総統に託して描いているのだろうと高をくくっていたが、その権力奪取に至る冷徹な洞察には驚いた。

　その男性のみの出演に対して、つぎに見た「マダム・サド」は女性だけの芝居であった。悪徳の限りを尽くして獄中にあるサド侯爵を献身的に支えながらも、やっと解き放たれると、一転して夫を受け入れようとしない。その夫人の心理の謎に迫っていた。あい変らずの過剰な修辞にみちたセリフであったが、それが内容にマッチして響いてくるのだった。どちらも緻密に構成されたドラマで、その緊迫感に魅了されたのである。

あらためて「仮面の独白」や「金閣堂」を読んでみて、その若々しい才能の横溢に目を見張った。かつて熱中した作品を手にするのもいやになることがあり、ずっと敬遠嫌悪していた作家に目覚めさせられることもある。

こちらが閉ざしていただけで、意外にもMは胸襟を開いて待っていてくれたのであった。

テレビに映るMの表情や甲高い声も懐かしく、どこか遠い叔父貴にでもひさしぶりに出会ったような気さえするから不思議であった。「近代ゴリラ」などと仇名され、胸元をはだけたり、上腕の筋肉を誇示したりしていたが、実際は小柄で華奢《きゃしゃ》なひとだったという。いつも人目を惹く演技的なふるまいを見せては、豪快で空疎な高笑いをするのが常であった。

また、たえず見られることを意識し、見せることを演じた。かつては冷ややかに見ていたMのそんなパフォーマンスも、今では往年のスターを懐かしむような気持ちが湧いてくるのだった。

このひとの文化防衛論とか、皇道礼賛への反感はかわらないが、その文学性はやはり優れたものだといまさらながらに気づかされた思いだった。

思想は保守的、復古的、もっと言えば反動的でさえありながら、その称揚する文学はなぜかいつも異端の作家や作品に限られていた。天皇制の忌避にふれるような作品を面白がったり、性倒錯の極致ともいうべき被虐空想小説を絶賛したりした。無名の新人の才能を逸早く見出したり、また文壇から外れたり、またすっかり忘れられた作家を掘り起こしては、その魅力を的確に伝えて復活させた。硯友社から出たような古色蒼然たる文体の戯曲を歌舞伎の舞台にのせて、ヒットさせたりしたのもそうであった。

外国文学にもよく通じ、とくにフランス文学の傑作を紹介したりした。大の映画愛好家でもあり、ジャン・コクトーやルキノ・ヴィスコンティ監督作品を絶賛した。当時知識人は見向きもしなかった任侠映画に注目して、そこにギリシャ悲劇の本質を見たなどと断じたこともある。どれもこれもMらしい大げさな賛美なのだが、実際その映画を見るとそれが大仰でもなんでもなく感じるのだった。その鑑識眼は的を射て、外すということはなかった。

このMが生涯賛仰した作家がふたりいた。ひとりはTという小説家で、Mによって「大」の字を頭につけられ大Tと呼んだり、またその文学世界をT王朝などと称した。

「白髪三千丈」式の誇大評価はいつの時代にもある。いわく「小説の神様」、また「門弟三千人」を擁する文豪。しかし、神様は戦前に長編小説を一本ものしただけで、戦後は余生として過ごしたし、文豪は面倒見はよかったが、没後の全集はさっぱり売れなかったという。

そういう意味で、Tの旺盛で衰えを知らぬ創作意欲はまさに大Tと呼ばれるのにふさわしく、大御所として文壇に君臨した歴史はT王朝といっても過言ではなかった。しかし、露骨にいえば女体への飽くなきフェチシズムであり、恥も外聞もない欲望への執着でもあったのだが。

もうひとりは日本人初のノーベル文学賞を受賞したKであることはいうまでもない。Mの没後半世紀を回想したメディアの特集記事は、ノーベル賞をめぐるこのMとKの心理的確執にふれないものはなかった。Kが自分にはこれが最後のチャンスだから、若いMに譲ってくれと懇願したとか、Mは師匠の受賞を喜んでいるかに装いながら、内心は憤懣やるかたない思いだったとか、どれもこれも見て来たようなことを書き連ねていた。

ノーベル文学賞はふたりの作家を殺したという評もあった。結果、そのとおりであった。Mが私設軍団「鉾の会」を決起させたのは、もはや自分の受賞はないと判断したからだともいわれている。これは後に知ったことだが、つぎに日本人作家が受賞するのは、O君だと予言していた。そして、その通りになったのである。戦後民主主義を公然と侮蔑するMがその信奉者のOの文学性を見抜く眼力に改めて驚嘆させられた。

そのOはノーベル賞は受賞したが、文化勲章はこれを辞退した。

スウェーデンの王様からは賞をいただいても、わが日の本のスメラミコトからは受けられぬのか、と右翼から猛然たる非難を浴びたが。

ひとは誰しも自分の好まぬ思想や主義主張をもつ人物が称賛を浴びるのは我慢ならぬことである。しかし、Mはイデロギーや政治信条の好悪は別にして、その文学は認めていたことになる。

Oはストックホルムの授賞式でかつてのKの受賞挨拶「美しい大和の私」を揶揄して「あいまいな大和の私」と批判的に論じた。大和にはアジアの諸国民にとっては決して美しくない過去があったというのである。

しかし、Mを回顧する話題も十一月下旬の憂国忌がピークであり、それに関連して思い出されるKとの様々な憶測も、やがて蔓延する疫病のニュースにかき消されていった。

しかし、私のなかでのふたりの残像は容易に消えなかった。自身が参加する読書サークルで、Kの作品が取り上げられることになっていたのも一因ではある。私は書棚から取り出して、「湯ヶ島の旅芸人」や「北国」などの初期作品から、戦後の「湖上」「山の響き」そして「娘の片腕」「眠れる美少女」などいくつか読み返してみた。そして、つくづく私には肌合いの会わぬ作家であることを実感した。それはMの肌合いの違和感とはまた違うものであった。

しかし、それはKやまたMへの嫌悪ということでは決してなかった。自分に理解できない謎へのもどかしさであった。作品を読み返しながら、やはりどこか腑に落ちないものがいつまでも残った。

そんなとき、いつもよみがえってくる思い出があった。

2

私は昔、一度だけ大阪茨木のKの記念館を訪れたことがある。帰省したときに京都で遊んだ帰りであったろうか。いまは前後の事情は思い出せないのだが、妻と連れ立ってたしかに出かけたのだった。今では立派な文学館として改築されたようだが、そのときは郷土館に併設されたような、展示施設であった。世界的名声を博した作家の故郷の記念館としてはいささか規模が小さかったように覚えている。

私たちが見回っていると、中老の男性と一緒になって何となく言葉を交わした。すると、展示物についてあれこれと説明してくれた。はじめは館の案内人かと思ったが、そうではなかった。よくいる市民ボランティアでもなく、私たち同様の見学者だった。それが街の好事家というのか、実にくわしくKのことを知っているのに、驚かされた。

よく地方の資料館や博物館に行くと、案内人にうるさくつきまとわれることがある。自分が暇なので、見学者は格好の話し相手なのだ。愛想よく応じたら、ずっと話しかけられて困ることがある。そういうのに限って、底の浅い知識を自慢げに披瀝するだけなのだが。

最初、その手の人かと警戒したが、その男性はつかず離れずの距離を保ちながら、尋ねれば熱心に案内してくれた。Kの記念館といっても、郷土資料の一部という体裁で、写真の展示といくつかの書籍が並べられていたにすぎなかった。それだけに説明はありがたかった。見学が終わったころを見図って、隣の喫茶室に私は男性を誘ってみた。もうすこし話を聞きたかったのである。

男性は応じた。これはそのときに話してくれた断片である。

「いやいや、そんな研究家というほどのものではありません」と、専門に勉強されているのですかという私の問いにこう答えた。「ただ偉い先人と同じ郷里に育ったという因縁で、あれこれ資料を読んだり、調べたりしておるだけなんですよ。家系やら伝記やら、書誌などは調べればいろいろなことが分かるんですが、肝心の文学そのものは私らみたいな素人には理解できませんね。多くの小説家や批評家がKさんの文学をああでもない、こうでもないと論じていますが、なかなか批評しにくい作家のようです」

「それはMさんでしょ」と、なかでもすぐれたものがありますかと尋ねたら、すぐ答えが返ってきた。「『永遠の旅客』なんかが一番ではないですか。もっとも、これは識者の声でもあるのですが。日常の人物の一こまから、その多面的な肖像画を描いて、ゆっくりと作品世界に迫っていく。えらそうなことというようですが、なかなかの筆さばきです。造形的な細部に対して、構成の放棄という一種無手勝流のK文学の本質をよく見抜いています。

これはちょっと要約しにくいので、他の例でいえば『眠れる美少女』という作品があるでしょう。あれを『熟れすぎた果物の腐臭に似た芳香を放つデカダンス文学の逸品』とMが激賞したことは有名ですが、もうこれ以上何を付け加えていいか思い浮かびません。あとは作者がいくつのときだったとか、またそのときのKの精神状態はどうだったとか、過去作品との類推・対照というぐらいでは。大学の研究者みたいに発表年月やら、初誌との異同やらで補足する手もありますが、作品そのものより、作家の周辺を探るしかない。純粋な鑑賞や作品読解に切り込めない。そういう意味でMはいつも芸術的核心をついていますね」

「Kは中学生のときにもう作家志望を決めております。いずれノーベル賞をとりたいなんて若書きで書いてますが、なかなかの野心家でもあったようです。ほんとうにとったんですからね。ここの中学を出て、一高をめざしたのは、教師を見返してやりたかったからだと動機を語ってます。『K、お前の成績では無理や』と言われたんが、癪に障ったのか、それとも身寄りのない自分には高望みすぎるという目で見られるのが悔しかったんか。なんか心ないひとことがあったんかもしれません。しかし、これが発奮の材料になって、猛勉強の結果見事に合格。天下の秀才が集まる一高にこんな田舎の中学から入ったというのも前代未聞のことで、先生もそんな悪気やなかったかもしれませんな」

「Ｋの処女作に『十五歳の手記』というのがありますね」と男はつづけた。「目の見えへん爺さんと孫の中学生が暮らしとる話です。いつも爺さんは『しししてんか』ちゅうて、下の世話をしてもろうとる、なんやわびしい暗い話ですな。これ読んだら、このふたりは貧乏長屋で暮らしとるみたいに思うけど、そうやないんです。昔でいう名主いうのか、広大な敷地があって、大きな門構えの屋敷なんです。そこに通いの女中と三人で暮らしとる。夜はがらんとした部屋でふたり過ごすことになる。盲目の祖父と目玉ばっかりぐりぐりさせとる十五六の子どもが向き合うとる姿を思い浮かべると、なんや気味が悪いですな。尿瓶に用を足すときに、清水の音が聞こえるという表現があるでしょ。新感覚派的やと指摘するひともありますが、それだけ家中がふかいしじまにつつまれていたんでしょ」

「やがてその祖父も亡くなり、身寄りがなくなってひとりぼっちになる。それでさぞ寂しい少年時代を過ごしたと思われがちなんですか、周りには面倒見のいい親戚・縁者もおった。また、実際には相当な財産家で経済的なゆとりもあったようです。それをめぐってややこしいこともあるんですが、まあ一高、帝大という当時のエリートコースを進んだことからみてもそれ相当の名家やのうてはかなわんことやったわけです」

「あのＫの出世作『湯ケ島の旅芸人』かて、一高の生徒やなかったら、話にならん。早稲田や慶応やら、今じゃええ学校かもしれんが、やはり紺飛白の着物と袴姿に一高の紀章の入った制帽の威光には足下にもおよびません。茶店の婆さんがこんな孫みたいな学生に下にもおかんもてなしで労わってくれる。おまけに心づけをはずむもんやから、鞄まで持って見送ってくれる。くらべて、旅芸人は恐ろしく蔑視して、あんな河原乞食みたいなもん、だれでも相手をしてどこでも泊まりますんや、と憎さげに言いますな。それが主人公の心に火をつけることにもなるわけです」

「旅の途中で、宿の二階から踊子の兄さんにぽいっと金を包んで投げてやる場面があるでしょう。『二階から失礼』とは言いながらも。これが主人公と旅芸人の一座の本当の関係なんですが、主人公はそれを意識せずにやる。好奇心でもなく、偏見も軽蔑も含まない、相手が旅芸人という種類の人間であることも忘れた好意は、彼らの胸にもすーと沁みこんでいくんですな」

「ところで」と一息つくと、「おたくもＫの代表作はやっぱり『北国』やとお考えですか」と訊いてきた。うなづくと、「でも、ほんまにそんな名作やと思いますか」

と私の顔を見つめた。

「あれ『スノー・ランド』という題で英訳されましたが、そのおかげでノーベル賞を取ったわけです。しかし、外国ではそんな甘い評価ばっかりではなかったようです。何のストーリーもないから、あれじゃノーベル賞やなくて、ノーテール賞だという声もあったぐらいです」

「テールというのは尻尾やのうて、話という意味ですよ」と付け加えるので、英語が専門の妻がくすっと笑い出した。「へへへっ。外国人はうまいこといいますな」

男はうけたと思ったのか、ますます饒舌になってきた。これは関西人の特長で、よくいえばサービス精神が旺盛、はっきりいえば調子にのるタイプが多い。

私はこういう悪乗りの血がKにも流れていて、わざと気色の悪いことや厭らしいことを書いて、読者を気味悪がせてやろうという魂胆があったように思う。読者だけでなく批評家もそんなKに案外騙されたり、化かされたりしてきたのではないか、とそのとき思ったのだった。

「文壇ではKへの批判はタブーになってましてね、なんでか知らんが暗黙の了解があったようです。そこらは欧米の作家・批評家は遠慮なしです。ところが、Kが亡くなってからはぽつぽつと出てきましたな。あの『失神』とか『柳生一族』とかいう剣豪小説で有名なGが追悼号に『魔道』という不思議な小説を発表してます。これはKに睡眠薬を渡していた愛人のことが書いてあって、それをKが小説に書いたことでその情夫に脅かされて死んだという内容です。荒唐無稽な話なんですが、その愛人らしき女はほんまにおったと証言するひともおります。ところでこのGは、かつて無謀運転で死亡事故を起こしたことがある。実刑判決が出たのを、鎌倉文士が連盟で嘆願し、結果執行猶予がついた。その中心におったのがKです。その恩義もあるのに、なんでこんなこと書いたのかようわからん」

「このGはまた、観相術・人相見の名人とか達人とかいう評判が高かった。その蓬髪と顎髭の独特な風貌もあっていかにも当たりそうな八卦見でしたが、自身の運命は見抜けなんだみたいですな」と笑った。

と急に声をひそめると、「例のUの書いた『事の顚末《てんまつ》』というのを読みはりましたか」と顔を近づけた。

それは信濃書房から出ている雑誌に載った、Kの自殺にまつわるスキャンダラスな暴露小説であった。自殺の原因は鎌倉の家でお手伝いをしていた女性が突然暇を取りたいと言い出したことにあった。それにショックをうけたKはそのまま黙って家を抜け出し、葉山のマンションに赴いて、そこでガス自殺を図ったというのである。

「あのUとかいうひとはもっとまともな物書きかと思うてましたが、あれを読む限りでは案外な俗物ですな。お手伝いの娘へのKの異様なまでの執着・恋慕を描くのはよろし。せやけどなんでその娘が筑摩川沿いの封建的遺制がのこる地域の出身者やなんて書く必要があったのか。ろくでもない連中から噂を聞いただけでしょう。娘さんは植木職人の家の養女だったらしいけど、信州を訪れた際にK夫妻が何かのきっかけでそれを知り、お手伝いさんに雇ったわけです。Kには昔から薄幸な少女や不遇なひとに肩入れするところがあります。語弊がありますが、そのひとの不幸にひかれるわけです。その思い入れが尋常やなかった」

「文壇でも、あの漫画家の女房で、厚化粧やらエキセントリックな性格やらで毛嫌いされとったOの作品を評価して作家として送り出した。そしたら見事に開花して大輪を咲かせました。のちにプロレタリア文学の女流作家として活躍したSの「キャラメル工房」を見出したのもそうです。

いまでこそ伝染病やないことがはっきりし、治療法も確立されたが、当時は業病として恐れられていた患者から原稿が送られてくる。その命を削って書き上げた原稿をマスクに手袋つけて、長い火箸で一枚一枚めくりながら読んで、あのFを世に出した。どれもこれもその作品に人間の真情を訴えるものがあったからでしょう。そういう気持ちを理解せずに、Kがそのお手伝いの娘に同情するのはひょっとして」と、そこで言葉を切って、コーヒーを啜った。

「まあ、何やら匂わすようなおかしな書き方をしていますな。これに遺族はかんかんになって、K家は由緒正しい北条家の血筋やと、さっき展示してあった系図を取り出して反論した。私にいわせたら、北条氏やいうても元はただの侍の棟梁で、民百姓より上等な家系とも思われんのですがね。太閤はんの昔から系図買いはちょっとえろうなったら誰かとしよる。それでまた、こんな興信所がやるようなことを文学研究やと思うとる連中も出て来るわけです」

「せやけど、私はこれを読んですこしは気の晴れた思いもしました。晩年のKは奇行が目立ったという風聞があります。それはMの亡霊に悩まされていたからやというのです。先にノーベル賞をとったことや、あの「鉾の会」の一周年記念での挨拶を断わったことへの恨みで、Mが夢枕に立つとか、誰もいないのにMに話しかけたりするとかいう噂です。Kはその妄想に苦しめられていたとまことしやかにいわれています。

しかし、あのしたたかで芯の図太いKが、そんな幽霊や幻影やらに悩まされるなんてことは考えられん。お化け好きのKはんのことやから、『M君、ひさしぶりやな。よう出てきてくれた。で、あっちの世界はどうです』てな具合で、若輩のMの怨霊なんぞ怖がるどころか、歓迎するはずです。だいたい、あのひとの小説はみな亡霊・亡者との交信のオンパレードやないですか。

Kはあくまでも Kらしく、あの『湖上』のなんたら銀平みたいにどこまでも娘を追い求め、つけまわし、ついに女への愛に殉じたんです。私はそう思いたい。それこそがKの最期にふさわしいと」

「まあ、あれこれ喋りましたが、最後にひとつだけいいたいのは、K文学の解説や批評は、山ほどあります。もちろん、すぐれたものもたくさんある。しかし、どんなに研究分析したところで、Kの掌小説の一篇も書けんことだけはたしかですな」

そろそろ夕暮れが迫っていた。男は時計を見た。

「これはえらい長い話につきあわせてしまいましたな」

私は深く礼を述べて、それから館の前で別れたのだった。

ぼんやりそんな昔のことを思い出していた。妻にそのときのことを聞いたら、全然覚えていないとのことだった。なんでもその後、大阪梅田の地下街にある汚い串カツ屋へ連れていかれたことは覚えていて、立ち呑みさせられたことをいまだに恨んでいた。

3

秋の深まりとともに流行もやや一息ついた思いきや、冬到来とともにまた猛威をふるいだしてきた。そんななか私はこもりびというべく精神的地下生活者の日々を送らざるを得なかった。

私はときおり家を出て、凧を上げに行く。ときどき、公園で斎藤さんに出会ってはあれこれ教えてもらう。私に凧をくれたひとである。定年退職後から凧揚げを始めて、やがて凧作りの趣味が昂じてブログを立ち上げ、同好の士にそのノウハウを発信している。

「ちょっと貸してごらんなさい」といって、私から糸をうけとると、くるりと背をむけてから、二三度手首をぐいぐいと引くと、へたれていた凧は風をとらえてたちまち急上昇する。

凧揚げの醍醐味は手作りにこそあるという持論を聞いたりしながら、一二時間凧揚げに興じる。そして、帰ってからその日の感染者数を見ては深いため息をつく。私はまた部屋にこもって、甲斐のない思案にふけるのだった。

日ごとに感染者が増加し、死者も多くなっていく。それと同時に、例年以上に自殺者も増えているとのニュースが報じられた。失業・生活苦・病気・精神疾患などから厭世感や無力感・孤立感に陥っているひとがその何倍もいるにちがいない。十代の悩みも深く、いじめや不登校・疎外感で苦しんでいた。この疫病の蔓延が、身体的にも精神的にも人びとを様々に抑うつ化していることはまちがいない。

思えば、俳優のMや女優のTはぜいたくな自死であったかもしれない。傍目には何不自由のない境遇に見えたであろう。病気で苦しんでいたとか、失恋に悩んでいたとか、また経済的に不如意であったとかいうのではなかった。人気俳優として仕事は充実し、多くのファンから声援をうけ、また愛する家族がいたのである。だからこそ、世間は驚いたのだ。

かつて「将来に対する或るぼんやりとした不安」という有名な言葉を残して自殺した作家のAは、その遺書「ある友人に送る手紙」にこう書き記した。

「我々人間は、人間獣である為に、動物的に死を怖れている。所謂生活力というものは、実は動物力の異名に過ぎない。僕も亦人間獣の一匹である。しかし、食色《じきしき》にも飽いた所を見ると、次第に動物力を失っているのであろう。僕の今住んでいるのは、氷のように澄み渡った、病的な神経の世界である……」

いま多くの人びとは、生活力を失うことを動物的に怖れている。失職・困窮・病苦による衣食住の喪失は、人間獣への死刑宣告である。まずは経済力こそが生死の境を決定する。しかし、一方では食欲にも色欲にも飽きてしまった人間も世の中にはいる。食色という動物的本能をなくし、金も名声もいらず、愛情も希望も持てない人間は、生命力を失った病的神経の世界に住むしかない。Aのいう「ぼんやりした不安」とはそれをいうのだろうか。では、その「不安」を生み出すものとは何なのだろう。

そう考えると、またふたりのことが思い浮かんでくる。文学界・演劇界で高い声望と地位を不動にして、たえず世間の話題を集めて来た作家が突然、ハラキリという壮絶な死を遂げたのはなぜか。文学者として念願だった世界的栄誉を得て、これ以上ない名声と称賛を浴びながら、ふと果敢なく消えてしまったのはなぜなのだろう。

Aと同じく人間欲への倦厭や名誉や地位への空しさに襲われつづけていたのだろうか。世俗の栄誉を求め、それを手にした途端、その虚飾の空しさを知る。果たして、人生の虚無の深淵をのぞき込んだのだろうか。ひとのこころの不思議さは計り知れないものがある。

どんな作家もそうだが、ふたりもそれぞれに毀誉褒貶につつまれていた。もちろん称賛と賛美が圧倒的だが、一部ではKの文学は所詮「千代紙細工」にすぎぬといわれ、Mの絢爛たる作品も「造花のホンコンフラワー」などと酷評されていた。

また、その人物や来歴にも少なからぬ批判や疑問もあった。Kの場合は、初恋の少女への異様な執心に反して夫人との結婚の記述がないこと。文壇のボス的支配や体制権力への迎合、そして睡眠薬の常用と代作問題である。Mの場合は戦後民主主義を無視した右翼的思想と活動であり、その性的指向としての同性愛であり、何より最後の決起の真意だった。

Mはその晩年、何人かとの対談で、自分の行為を匂わすような発言をしている。

たとえば、フランス文学者でサドの研究家であったSに、これから行う自らの愚行で、自身が笑われるのは覚悟の上だが、家族とりわけ子どもたちが嘲笑されるのは耐え難いと話している。MはこのSの著作に触発され、「マダム・サド」を執筆し、ときに助言も乞うている。ともに創作者としての芸術上の友であり、数少ない真の理解者でもあったようだ。

だからこそ、自ら愚行と称する計画をほのめかしたりしたのだろう。さかんにいまにわかりますと繰り返している。

Mがその愚行を決意したのは、急進的学生運動の高揚に危機を感じたからである。憲法改正と自衛隊の国軍化を掲げて、クーデターを扇動しようとしたが、しかし、なんの切迫感も現実味もなかった。前年ならまだしも新左翼の都市蜂起も大学での無党派層の騒乱もすでにそのピークを越えていた。ゲバ棒と火炎瓶ぐらいしかない学生相手に、自衛隊の出る幕などもはやなかったのだ。同時に、反体制運動の暴力的激化は、必ず内訌すると一部の識者は早くから警鐘を鳴らしていた。その指摘どおり、暴力は内部に向けられ、惨めに自滅していく運命にあった。

秩序は回復し、日常は戻り、運動は終息に向かいつつあった。体制の危機どころか、大衆は経済大国の繁栄と享楽に満足し、万国博に殺到することになる。そのあとに来たのは、経済至上主義で精神性を失った空虚な時代だった。まさにMの予言した通りの現実だった。

Mたちの暴発した一九七〇年十一月はまさにそういう時代の幕開きだったのだ。

「おまえら、聞けい。静かにせい。黙っておれの話を聞けいっ」と、Mはバルコニーから集まった隊員にむけて絶叫するが、口々に罵倒され野次られ、反発嘲笑されるだけであった。それが彼が夢見た国軍の兵士の声だった。

最後にともに決起することを呼びかけるが、もちろん誰ひとり応ずるものなどいない。

「よし、もういい」と、演説をあきらめてバルコニーから悄然と消えていく。あのいつも昂然と自信に満ちていたMには見たことのない落魄とした後ろ姿であった。Mはひょっとして、あの学生運動の大集会のように「ヨーシッ！」とか「異議なし！」とかの声援をうけるとでも思っていたのだろうか、それとも静かに耳だけは傾けてくれるだろうと予測していたのだろうか。戦後世代のあらゆる意味でのスーパースターが、突如滑稽なトリックスターを演じて果てていった瞬間だった。

日本のクーデターは、Mが心酔した二・二六事件が有名だが、三月事件・青年将校事件・五・一五事件とつづく先史があった。戦後には、六十年安保闘争の翌年に「三《さん》無《ゆう》事件」というクーデター未遂事件が摘発されている。民間人による計画で、Mがこれを知らぬはずはなく、計画は酷似している。しかし、Mの引き起こした事件が、戦前・戦後を通じてあったクーデターと決定的に違うのは、最初から自裁を決意し、実行していることである。

「小生が怖れるのは死ではなくて、死後の家族の名誉です」と、Kにも同じ趣旨の内容を書き送っている。死は覚悟のうえだが、「死後、子どもたちが笑われるのは耐えられません」と、繰り返している。ならば、なぜ思いとどまらなかったのだろうか。

クーデターの見込みなどはじめからなく、たとえ捨て石となったとしてもいずれの日にか呼応する可能性もない。ただ憂慮は子どもたちが笑われることだというのである。いったい、Mの真意はどこにあったのだろうか。いわば劇的な死に場所を求めたうえでの一世一代の大芝居だったのだろうか。

このことについては様々なことがいわれてきた。それを五十年目の真実や秘話、また未公開フィルムの上映などの話題づくりで、宣伝にもして著作の売り上げを伸ばした。そして、一過性のニュースとして、いま消えていこうとしている。私は一度として真剣にこの事件に向き合ったことはなかった。禁忌として近寄るべからず、触れるべからず、という無意識の畏怖があったのだろうか。狂信者として、また異常者として片づけることで、自己の生活も精神も乱されたくなかったのだろうか。それこそＭが唾棄した戦後社会の虚妄に浸っていたかったからではないか。

だからこそ、このままま時流に押し流されていくのは我慢ならぬことであった。

半世紀前にたとえそれが愚行であり、パフォーマンスであったにせよ、命を懸けた行為の意味とはなんであったのか。残される子どもたちへの未練を断ち切ってまでも、突き進んだその決意はどこから生み出されたのか。

私のなかでは消えぬ謎であった。

4

悪疫による不要不急の外出禁止は、私を部屋に閉じ込めた。そこで私は謎をかかえたアームチェア・ディテクティブにならざるを得なかった。いや、そんないいものではない。ただのデスク・チェアに腰かけたひきこもり探偵であった。

書棚や本箱からＭやＫに関する評伝や評論・特集雑誌を探してみると、意外に多く蔵しているのに驚いた。新聞・雑誌の切り抜きもノートに貼ってあった。とくに好きでもない作家なのに、いつか読もうと思って買ったり、切り抜いたりしていたのだろうか。

なかにＭとＫの往復書簡集があった。没後、ほほ三十年を経て出版されたものである。Ｋ宛の昭和四十四年八月四日付の手紙には、「鉾の会」創立一周年記念への御臨席賜りたいという要望と万一自身に何かあったときには子どもたちを頼みますという内容が書かれている。この死の前年の、書簡集最後から二番目の手紙が自決を予告したものとして、あれこれと取り沙汰されることになるのである。

巻末にＫの女婿となった東大ロシア文学科の教授とアメリカ文学を専攻した評論家Ｓとの対談が載っている。ＳはＭ文学館の館長をつとめたひとでもある。この書簡集は昭和四十五年七月六日付のＭの手紙を最後にしているが、Ｋの女婿は実はもう一通Ｍからの手紙があったことを明らかにして、対談者を驚かせている。

しかし、故人の名誉のために焼却したというのである。乱暴な鉛筆書きで、文章に乱れがあり、後世に残してはまずいと判断したからだと説明している。その箇所に私が赤線を入れて疑問符をつけているところを見ると、やはりここにひっかかるものがあったのだろう。Ｍが何かで興奮ないしは錯乱して、発作的に殴り書きしたのだろうかとそのときは考えたのだった。何かしら不穏で容易ならざることが書いてあったのだろうと想像されたのだが、いまは研究者によって、その内容は明かされている。

「萬一の時は後のことよろしくお願いします」

というだけの一行であった。

肩透かしもいいところであった。もしこの通りの内容なら、不名誉でも不面目でもないではないか。燃やすほどの理由が那辺にありや、といまは思わざるをえない。

故人の名誉を重んじる。この常套句はむしろしばしば生者の利益を計ってきたのでは、と私はあらたに疑問に思いはじめた。

Mの手紙の内容はともかく、K宛の私信であることだけは間違いない。それをKは女婿に見せたのだ。内容に狼狽したのか、ショックをうけたのか、その処理に女婿の判断を仰いだのだろうか。女婿は対談で、内容は忘れたが、いまでもとっておかなくてよかったと思うと矛盾したことを語っている。

結果、この程度の内容に「故人の名誉」を重んじ、焼却されたことになる。

生前最後のMからのK宛の手紙は、本人と女婿しか知らないことになる。そして、そのふたりしか知らない内容がどうして研究者の手によって明らかにされたのか、そのいきさつを私は知らない。ふたりの全集にあたっても当然ないだろう。

そこには果たして何が書かれてあり、何が書かれていなかったのか。それには類推・憶測・忖度か、または、推理・想像・妄想を働かせるしかない。ときにそれが邪推にすぎないといわれようとも。

近代以降、日本の文学者の自死はめずらしいことではない。なかでも昭和に入ったばかりのAの服毒自殺、戦後すぐのDの入水、そして何よりも前代未聞のMの切腹自殺と後を追うかのようなKのガス自殺であった。この四人の運命はそれぞれに因縁を持って複雑にからみあっている。そして、その真相をめぐる様々な流説・風説・秘話が流されてきた。

とりわけMとKについては、亡霊やら遺恨やら幻覚やらとどこかおどろおどろしい噂がいつもつきまとう。もちろん、それらの類は研究者や専門家によって一顧だにされはしないが。しかし、作家の姿は研究書や学術書だけにあるのではない。週刊誌や大衆紙や人口にのぼるひそひそ話にもその片鱗がある。研究室に閉じこもった専門家より、足で稼ぐ記者やルポライターの方がより真相を嗅ぎ分けることもあるのだ。

昔、茨木で出会った男性は、あの図太いKがMごときの亡霊に悩まされることなどない、と断言した。郷土が生んだ誇るべき先人に対して、そう思いたかったのだろう。しかし、晩年のKの奇行・変人ぶりはやはりMの影があったのではないか。Kのお手伝いの娘への執心・妄執は、その影から逃れるすべであったかもしれない。

Mの告別式で、Kは先の手紙の一節を披露し、故人が遺子へ託した思いを述べた。また追悼文では、自身もまたその行動を正すべく「鉾の会」に参加して、市ヶ谷までついていくべきだったと書いて、悔み、嘆いている。

Mは「鉾の会」一周年記念で、ノーベル文学賞受賞者のKにあいさつをしてもらいたかった。それを隊員たちへのはなむけにしたかったのだろう。が、それがかなわなかった。良家の坊ちゃん育ちでひとから拒まれることを知らないMには、少なからずショックであったろう。ましてそれが師と仰ぐKであったから、なおのことである。

しかし、これは勝手な思い込みに過ぎない。昭和二十年、鹿屋の基地を訪れて特攻隊員の苦悩を見て来たKにとって、ミリタリールックに身をつつんだ現代の若者たちを見て何を思うか、想像はつくだろう。Kの作品はもちろん、Mの小説一篇さえ読んでいなかったろうし、またMから文学に接することを厳しく禁じられていた。

文のひとであるKにとって、そんな武張ったもののふの集いなどふさわしくないのは当然ではないか。

しかし、Mはこれをふかく恨みとし、Kはまた後にこのことをひどく悔いた。KがMの亡霊におびやかされるのは、このいきさつがあったからだといわれてきた。が、ほんとうにそうだろうか。ふたりの間には、それ以前からもっと深刻な芸術家としての葛藤・確執があったのではないか。

いま半世紀を経て、Mは再び燦然と輝くスーパースターとしてよみがえってきた。そして、ほんとうにノーベル賞に価するのはMだったのだ。Mは長幼の序を重んじてKに譲ったのだ。政治に踊らされたKの晩年のピエロぶりは、Mへの自責と負い目によるのだ。事実、Kはまったく才能が枯渇して受賞後は何も書けなかったのだ。いや、それ以前からも。

私が目にしたいくつかのドキュメンタリー番組での識者・知人の回想や証言から、そういう声が聞こえてくる。身近にいたひとほど、言いよどんだり、ほのめかしたりして、肝心の部分はカットされている。その沈黙の余白がかえって真実を浮かび上がらせているようにも感じられたのであった。大手でない出版社の著書や雑誌の特集記事からもそれは読み取れた。

Kの文芸雑誌に書きっぱなしの断章をつぎはぎのようにしてまとめていくやり方に対して、最初からロマンとしての構成と展開をもったMの文学とは、やはり相いれないのではないか。しかし、それはそれとして、互いの個性として認め合ってきたのだが、余人の知らぬ齟齬がいつしか生じていたのかもしれない。

Kの「鉾の会」一周年行事への不参がきっかけになったのではなく、それが帰結だったのではないか。このときMはいよいよ見切りをつけたのでは。いままで自分を抑えて師に尽くしてきたのに、これしきの願いをもかなえてくれぬのか。そういう思いがよぎったとしても不思議ではない。

MがK宛に送った最後の手紙こそ、何事か重大なことが書かれていたにちがいない。子どもたちをよろしく頼みます、という程度の文章にKの筆が乱れるはずがない。鉛筆の乱暴な殴り書きに、何かしらMの押さえつけて来た感情の爆発を感じるのだ。

その故人のためにならぬ手紙は焼却されたが、内容はしっかりと記憶され、やがて妄想を生み、亡霊を見ることになる。女婿は忘れたなどととぼけているが、Kは忘れていない。いや、忘れられなかった。さきの四人の作家のなかで、Kだけは遺書がない。それだけ発作的だったのだろう。手伝いの娘が去っていくことの傷心だったのか、Mの怨霊への恐怖だったのか。栄光の果ての、なんとも傷ましい最期であった。

思えば、あの情人と玉川上水で心中したDは、遺書に「みんな、卑しい欲張りばかり。Iさんは悪人です」と書きつけた。長い間、Iとは師弟の間柄であっただけに、みな驚きを隠せなかったという。Dには、武蔵野病院への強制入院に対する恨みにはじまる、積年の不満や不信があったのだ。しかし、Iもまたこの押しかけ弟子の不始末のしりぬぐいや結婚の世話、文壇復帰への援助と、何くれとなく面倒をみてきたのだが。その挙句の悪人呼ばわりだった。

このとき、例の「門弟三千人」の文豪Sが出てきて、これはD独特の甘えの逆説的表現なのだと助け船を出して、落着した。なるほど。故人の名誉にならぬ、と証拠を隠滅するより、文学的である。しかし、真相はわからぬ以上、もはや詮索は無用だろう。

高潔な人格が果たして高尚な芸術を生むのだろうか。そもそも芸術家は人間としてさほど上等な部類に入るものだろうか。芸術のなかでも人生に最も近接し密着した文学は美だけを追求するものではない。比類なき文学の創造者にも、人格の破綻者、俗情の権化、精神の異常者がいる。ドストエフスキーの二面性、バルザックの俗物性、ポーの異常性といくらでも数えられる。

ふたりでノーベル文学賞を競ったKもMもまた世界に

比類なき文学の創造者だった。その不思議な師弟関係も芸術家の宿命だったのかもしれない。

　私は書簡集の表扉に付された写真にじっと見いる。和服姿のKはにこやかに微笑み、隣のスーツ姿をばっちりと決めたMは、左手で煙草をくゆらせ、時計とカウスボタンをのぞかせている。ともに何かをみつめる横顔が映っている。撮影はノーベル文学賞決定の翌日、鎌倉K邸にて、とある。Kの穏やかな笑顔はもちろんだが、ダンディーなMも澄んださわやかな表情を浮かべている。何かしらの葛藤や雑念など想像もつかない、師の受賞を喜ぶ姿である。しかし、その仮面の下には何かが隠されていたのだろうか。

　やがてふたりはそれぞれに悲劇的な道にむかうことになる。しかし、このときこそは師弟愛の最高の瞬間だったと私は思いたい。

　私はこのふたりの幸福な画像を胸に刻んで扉を閉じ、書棚に戻した。

　ひきこもり探偵のこれらが私の推理である。出版社にとってドル箱であるふたりのために作られた虚飾の師弟愛は暴かれねばならない。しかし、同時に偉大な文学者の胸中を卑小な人間がこれ以上勝手に想像・詮索することも許されないだろう。

やはり、こもりびとの手記として秘するにしくはなさそうだ。


　暮も迫った、寒風の午後、私は公園に出かけた。斎藤さんがいた。「この前は、ありがとうございました」と礼をいわれた。私が凧のお返しに紅茶を届けたのだ。

　早稲田のグランド坂のすぐ上だと聞いていたので、散歩がてら寄ってみた。時節柄あいさつだけですぐ引き上げたが、立派なお宅だった。いろいろな凧が飾ってあるのが、窓越しに見えた。

　名人の凧は強風にのって高々と上がっている。いつもの台形型とはちがって、縦長の見たことのない凧である。遠目にも変わって見える。

　あの凧は何ですかと聞くと、携帯を取り出して画像を見せてくれた。可愛い皇帝ペンギンのような動物で、厄除けの妖怪アマビエだという。寿司や刺身でよく食べる私の好物は甘えびだが、アマビエなどそれまで聞いたことがなかった。

　昔は疫病がはやると、このアマビエの絵を門や玄関に貼って祈ったそうだ。それで凧にして揚げているという。

「あなたも疫病退散の祈願をしてください」と凧糸を手渡された。さすが凧名人だけに、その上昇高度は半端じゃなかった。

天上を悠々と上がる凧に、私は祈った。

「天にまします神様、仏様、アマビエさま。それからイエス様に、ムハンマド様も、その霊力で、どうか疫病退散、悪疫退治をお願い申し上げます。悪霊に取り憑かれたこの愚かな人間どもを哀れみ、かつお救いください」

そんなことを祈りながら、大空高く仰いでいると、「みなこれこの生を天の一方地の一角に享けて悠々たる行路をたどり、相携えて無窮なる天に帰る者ではないか」という「忘れえぬ人々」の一節がうかんでくる。

しかし、それは独歩のいうごとく、悠々たる人生行路をたどってこその生である。戦争・疫病・貧困によって、無惨に中断されてはならぬかけがえのない生である。また、自殺によってでも。

私はいつしか人類の代表になっていた。

気が付くと、斎藤さんがいなかった。いつしか公園のむこうの丘を下っていく。私が大声で呼びかけると、片手をさっとあげて足早に去っていった。かくして、私はふたつめの凧を貰ったのだった。

〈万葉のうた〉

風・おとない

堂野前彰子

一　風のおとない

万葉の時代、男が女のもとを訪れる妻問い婚が一般的であった。女は恋人の訪れを首を長くして待ち、男は夜の訪れを待って恋人のもとに向かったものだ。例えば次の歌でも、女は恋人の訪れを待っていた。

君待《きみま》つと我《あ》が恋《こ》ひ居《を》れば我《わ》がやどの簾《すだれ》動《うご》かし秋《あき》の風《かぜ》吹《ふ》く　（巻四・四八八／額田王）

あの方のおいでを待って恋焦がれていると、家の戸口の簾をさやさやと動かして秋の風が吹くことよ（四八八）、と秋風に恋人の訪れをなぞらえている。この時、額田王《ぬかたのおおきみ》が待っていたのは天智天皇である。若い頃天武天皇の思い人であった額田王は、二人の間に十市皇女《とおちのひめみこ》をもうけていたが、後に天智天皇の後宮に入ったという。右の歌に続いて、額田王の姉と考えられる鏡王女《かがみのおおきみ》はこう添えている。

風《かぜ》をだに恋《こ》ふるは羨《とも》し風《かぜ》をだに来《こ》むとし待《ま》たば何《なに》か嘆《なげ》かむ　（巻四・四八九／鏡女王）

ああ秋の風、その風の音さえ恋しく思われるとは羨ましい、風にさえ、もしやおいでかと待つことができるのなら、何を嘆くことがありましょう（四八九）、と恋人の訪れとして風を待つことができるのは羨ましいと嘆いている。

この歌の題詞には単に「鏡王女が作る歌一首」とある

のみだが、歌の内容からすると、前歌に続いていることは明らかである。前歌が進行形の恋をうたっているとすれば、これは終わってしまった恋を嘆いているということになろうか。万葉人は月を待つようにして恋人を待ち、風にその訪れの予兆を見ていた。

また、大和三山の歌（巻一・一三）を天智天皇が詠んだことから、額田王をめぐる三角関係があったとされてきたが、額田王が天武天皇のもとから天智天皇のもとへ移ったことは、永藤靖の言葉を借りれば一種の「財の移動」であった（「額田王の結婚—交換の原理」）。当時の結婚は極めて政治的なものであり、額田王の二度目の結婚は、亀裂が生じ始めた兄弟の関係を修復するためでもあった。鏡女王にしても後に藤原鎌足の妻になっており（巻一・九三〜四）、鎌足といえば采女《うねめ》を得て、「我れはもや安見児《やすみこ》得たり皆人《みなひと》の得かてにすといふ安見児得たり」（巻一・九五）とうたっている。その喜びは、禁忌の対象であった采女を得たからだけではあるまい。おそらく天智天皇と深い関係が築けたことをも喜んでいるのであり、女性の「性」はもはや神聖なものではなく、交換される対象になっていた。

というと、女性の地位が低かったように思われるのだが、女が待つ男はいつも一人とは限らない。当時の女性はもっと自由で自立していた。例えば、次の歌では女が積極的に男を招き入れている。

玉垂《たまだれ》の小簾《をす》のすけきに入《い》り通ひ来《こ》ね　たらちねの母が
問《と》はさば風《かぜ》と申《まを》さむ　（巻十一・二三六四）

これは「古今相聞往来類之上」と題された巻十一に収められた旋頭歌《せどうか》で、上三句と下三句があたかも問答のような掛け合いになっている。玉を垂らした簾の隙間から入り通《かよ》ってきてください、という誘《いざな》いの上三句に対して、「たらちね」の母が尋ねたなら、風の音だとでも申しておきましょう（二三六四）、と下三句が応えている。思うに、少し腰の引けた男に対して、女は積極的に誘っているのだろう。恋において大胆になるのは、いつも女の方であるらしい。もちろん母にしても娘の言葉をそのまま信じていたわけではなく、「風音」が男の訪れであることを知っていたのではないか。なぜなら母もまた、その母に「風音」と答えていたに違いないのだから。

私の恩師は、娘の恋人のことを密かに「隙間風」と呼んでいた。その名の由来はこの歌にあったのか、と気づいた時思わず笑ってしまった。その名づけには、自分の知らないうちに娘と恋仲になった男への、男親の微かな焼きもちがあり、と同時に、その風に満たされている娘への愛情も感じられる。

二　霧のため息

恋人との逢瀬を譬えたのは、風ばかりではない。『万葉集』の七夕歌では、天の川に霧が立ちのぼる中、彦星は織女のもとへと船出している。

彦星《ひこほし》の妻迎《むか》へ舟《ふね》漕《こ》ぎ出《づ》らし天《あま》の川原《かはら》に霧《きり》の立てるは　（巻八・一五二七）

天《あま》の川《がは》霧立ちわたる今日今日と我が待つ君し舟出《ふなで》すらしも　（巻九・一七六五）

天の川霧立ちわたり彦星の楫《かぢ》の音《おと》聞こゆ夜《よ》の更けゆけば　（巻十・二〇四四）

彦星が妻を迎える船をこぎ出したらしい、天の川の川原に霧が立ち込めている（一五二七）。天の川に霧が立ちこめる、今日か今日かと私が待つあの人は船出するらしいよ（一七六五）。天の川に霧が立ち込めて彦星の楫の音が聞える、夜が更けてゆくと（二〇四四）。

おそらく、この霧の夜の船出は、天の川にかかる白い帯が霧のように見えることから発想されたのだろう。そしてそこには、この逢瀬を誰にも知られたくないという恋の思いもある。当時恋人たちがもっとも恐れていたのは人の噂であり、人に知られたならその恋は終わると信じられていた。恋とは密かに籠るようにして思うもの、霧中の船出は恋の成就を願ってのことであった。二〇四四番歌で作者は梶音に彦星の船出を知り、二人の逢瀬に思いを馳せている。

また霧は恋の思いそのものに譬えられ、霧のように心が晴れないとうたわれることもあった。

明日香川川淀《かはよど》さらず立つ霧の思ひ過ぐべき恋にあらなくに　（巻三・三二五）

あかねさす日並《ひなら》べになくに我《あ》が恋は吉野の川の霧《きり》に立ちつつ　（巻六・九一六）

明日香川の川淀に立つ霧のように、私の恋はすぐに忘れ去るようなものではない（三二五）、と忘れられない恋を霧に譬え、あかねに色づく日々を重ねたわけでもないのに、私の恋は吉野川の霧となって立ちのぼっている（九一六）、と心を占める恋の思いを霧のようだという。

因みに、先の三二五番歌は山部赤人の「神岳《かみをか》」に登って詠んだ歌の反歌で、飛鳥川に立つ霧に恋の戸惑いを重ねている。次の九一六番歌は車持朝臣千年《くるまもちのあそみちとせ》が詠んだ吉野讃歌の反歌で、吉野川の川霧に譬えられているのは、その前の九一五番歌に「千鳥鳴くみ吉野川の川音《かはおと》のやむ時なしに思ほゆる君」とうたわれた「君」への思いであった。いずれも雑歌に分類されていることからすると、密かに誰かを思って詠んだ歌ではないのだが、自然の風物に託して秘した思いを吐露するのは万葉人の常であった。

春山《はるやま》の霧に惑《まと》へるうぐひすも我《わ》れにまさりて物思《ものも》はめやも　（巻十・一八九二）

このころの秋の朝明《あさけ》に霧隠《きりごも》り妻呼ぶ鹿《しか》の声のさやけさ　（巻十・二一四一）

春山の霧に迷っているうぐいすだって、私のようにはもの思いをしていないでしょう（一八九二）、と恋に悩み、秋の夜明けに立つ霧に、妻を呼ぶ鹿の声がさやかにひびくことよ（二一四一）、と妻を求めて鳴く鹿の声を「さやか」だとうたう。うぐいすは霧に惑って巣にもどることができず、鹿は一晩中妻を得られず鳴き続けていたとしても、それらの妻恋《つまごい》は自分の想いには到底及ばないと嘆いている。苦しい恋に迷っているのは、うぐいすではなく歌を詠んだ作者自身なのだろう。秋の朝霧に立ち込められて鳴く鹿の声を「さやけさ」と表現するのは、眠れぬ夜を過ごした証ではないか。

我妹子《わぎもこ》に恋ひすべながり胸を熱《あつ》み朝戸《あさと》開《あ》くれば見ゆる霧かも　（巻十二・三〇三四）

あなたに恋して途方に暮れ、胸も熱くなったので朝の戸をあけると、一面に立ち込めて見える霧よ（三〇三四）、とまんじりともせず一晩を過ごした朝は深く霧が立ち込めている。この朝霧がやがて朝の光に包まれて消えていくのだとしたら、ここにうたわれているのは静かに終わろうとしている恋なのかもしれない。因みに、『万葉集』の中で「霧」を詠んだ歌は五十四首あり、そのうち「朝霧」と「夕霧」を詠んだものがそれぞれ九例ずつあることからすると、昼夜の寒暖差によって霧が発生することを万葉人は知っていたのだろう。そしてその霧はやがて儚く消えていくことも、わかっていたはずだ。

朝霧《あさぎり》のおほに相見《あひみ》し人《ひと》ゆゑに命死《いのちし》ぬべく恋《こ》ひわたるかも　（巻四・五九九）

これは笠郎女《かさのいらつめ》が大伴家持へ贈った二十四首のうちの一首で、朝霧のように、おぼろげに見ただけのあの方なのに、私は死ぬほど激しく恋い続けています（五九九）、と逢瀬の記憶が微かになってなお、その恋にすがっている。ぼんやり見える恋人の面影は、終わっていく恋を暗示しているかのようだ。死ぬほど思っていても、現実はもちろん夢にも思う人は現れず、ただぼんやりその姿が見えるだけの苦しい恋にため息をつくしかない。『万葉集』では、霧は恋人を思ってつくため息だった。

君が行く海辺《うみへ》の宿《やど》に霧《きり》立たば我《あ》が立ち嘆く息《いき》と知りませ
（巻十五・三五八〇）

我がゆゑに妹嘆くらし風早《かざはや》の浦の沖辺《おきへ》に霧《きり》たなびけり
（巻十五・三六一五）

沖つ風いたく吹きせば我妹子《わぎもこ》が嘆きの霧に飽《あ》かましものを
（巻十五・三六一六）

この三首は、遣新羅使の歌群に収められたもので、都に残った妻は、あなたが行く海辺の宿りに霧が立ち込めたなら、私が嘆いた息だと思ってください（三五八〇）、とうたっている。一方、難波から出発して広島市安芸津《あきつ》の風早の浦に停泊した夫は、私のために妻は嘆くらしい、風早の浦の沖辺には霧が立ちなびいている（三六一五）、と詠じ、沖からの風が強く吹いたなら、私の妻が嘆く息の霧に、私は心ゆくまで包まれていることができるのに（三六一六）、と妻を思い嘆いている。無事に帰って来ることができるかわからない旅寝の夜、海は深い夜霧に包まれており、その旅の不安をさらに募らせるような霧を、ここでは自分を思って嘆く妻のため息だと捉えている。

大野山霧《おほのやまきり》立ち渡る我が嘆くおきその風に霧立ち渡る
（巻五・七九九）

ここに詠まれている大野山とは、大宰府の背後にある山のことであり、その大野山に霧が立ち込めている、私の嘆いた息の風によって霧が立ち込めている（七九九）、と嘆いているのは、この地で妻を亡くした大伴旅人であった。実際にこの歌をなしたのは親しい友人であった山上憶良だが、はるばる都から離れ来て最愛の妻を亡くした悲しみを、旅人になりかわって詠んでいる。嘆きのため息は、その人を永遠に失った悲しみでもあった。

三　雨障みの愁い

霧に恋人の思いを感じていた万葉人だが、雨に濡れることは嫌ったらしく、雨の日に外出することはなかった。旅先で雨にあったなら、濡れた衣を乾かしてくれる人もいないと嘆きを口にする。『日本書紀』第七段一書で、高天の原から追放されたスサノヲが誰にも宿を貸してもらえず彷徨ったのは、罪を負った穢れた存在だったからではあるが、雨に濡れていることもその理由の一つであったのだろう。それ以来、笠蓑を着て他人《ひと》の家のうちに入ることは憚られるようになった。万葉人は雨が降ると家に籠り、雨を口実に女のもとに訪れようとしなかった。

春雨に衣《ころも》はいたく通《とほ》らめや七日《なぬか》し降らば七日来《こ》じとや

（巻十・一九一七）

霧雨のような春の雨なら、衣がひどく濡れ通ることはないのに、七日雨が降ったなら、七日来ないというのですか（一九一七）、と雨が降っていることを口実に、来ようとしない男を女はなじっている。このように雨に降りこめられて外に出ないことを、『万葉集』では「雨障《あまつつ》み」といった。

雨障《あまつつ》み常《つね》する君はひさかたの昨夜《きぞ》の夜《よ》の雨《あめ》に懲《こ》りにけむかも

（巻四・五一九）

ひさかたの雨も降らぬか雨障《あまつつ》み君にたぐひてこの日暮らさむ

（巻四・五二〇）

この二首は巻四の相聞に収められた歌で、五二〇番歌は前の歌に追同して他の人が詠んだ歌である。前歌は、雨だからといつも家に籠っていらっしゃるあなたは、夕べいらした時に雨に降られて、すっかり懲りてしまわれたのではないでしょうか（五一九）、と男が雨に濡れて帰ったことを心配している。実はこの心配は見せかけで、それを理由にまた当分の間あなたはいらっしゃらないのでしょうね、と女は皮肉を込めている。

それに対して次の歌では、空から雨でも降ってくれないものか、降りこめられるのを口実に、あなたのおそばに寄り添ったまま、今日一日を暮そうものを（五二〇）、と前歌では来ない口実だった雨障みが、女のもとに留まり続ける理由になっている。一見すると男に甘えているように見えるのだが、五一九番歌の追同歌であることを考えるなら、おそらく女は心の奥底で、雨を理由に来ない男をせめているのだろう。もちろん、実際に雨に降りこめられて恋人の家に留まったという歌も、『万葉集』には残されている。

笠なみと人には言ひて雨障《あまつつ》み留《と》まりし君が姿《すがた》し思《おも》ほゆ
（巻十一・二六八四）

妹《いも》が門行《かどゆ》き過《す》ぎかねつひさかたの雨《あめ》も降《ふ》らぬかそをよしにせむ
（巻十一・二六八五）

「笠がないので」と人には言って、この家に雨宿りなさったあの方の姿が思いだされてならない（二六八四）とうたう時、雨はむしろ恋人の家に立ち寄る言い訳になっている。続く二六八五番歌でも、あの子の家の前を通り過ぎることができないから、雨でも降ってくれないものか、それを理由に立ち寄るのに（二六八五）、とうたっている。雨は来ない口実にも来る口実にもなり、そうであるから女は雨にことよせて、男に甘えてみせた。

鳴《な》る神《かみ》の少し響《とよ》みてさし曇《くも》り雨《あめ》も降《ふ》らぬか君を留《とど》めむ
（巻十一・二五一三）

鳴《な》る神《かみ》の少し響《とよ》みて降らずとも我は留《とど》まらむ妹《いも》し留《とど》めば
（巻十一・二五一四）

前歌では、雷が少しだけ鳴って空がかき曇り、雨でも降らないものか、そうしたらあなたを引き留めることができるのに（二五一三）、と雨を降らせる雷を好ましく思っている。次の歌で男は、雷が少しだけ鳴って雨が降ったりしなくても、私は留まりましょう、あなたが直《じか》に引き留めてくれるなら（二五一四）、と返しており、二首で一組の問答になっている。

この歌を評して伊藤博は、相手の間接的な引き留めの態度を否定して、すがって甘えなければ帰ってしまうという応じ方がいささかまともで面白味がない、女の歌ばかりが光る問答だという。確かに、そんな遠回しな言い方をしないで直接甘えて欲しいと返されてしまうと、どうにかして恋人を引き留めたいという切実な女心がとたんに媚びに見えてしまう。二人だけの甘い会話に、他人はついていけなくなるものだ。それは今も昔も変わらない。

因みに『万葉集』中に雨の用例は八十五例あり、「春雨」「小雨」「村雨」など複合語を含めると一三〇例にもなる。雨は忌み嫌われていたといいながら、万葉人にとってもっとも関心のあることがらだった。興味深いのは、「春雨」を詠んだ歌は十九例あるのに、「秋雨」の語はなく、「秋の雨」を詠んだ歌がたった一首のみあることである。万葉人にとって、春の雨は特別なものだったのだろう。民俗学では、田植えの時期である五月は「もの忌み月」といって、その間の夫婦の交わりや恋人との逢引きは慎まなければならなかった。それは、ちょうどその時に山から下りてきて、豊作を約束する「田の神」に敬意を表するためだという。「五月雨」という言葉があるのも、五月の雨が豊穣を約束するものだったからである。

雨がよく降る日本では、雨の降り方を見極めることが生きていく上でとても大切だった。雨には「時雨」「霧雨」「五月雨」など細分化された多くの名前があり、雨に関する美しい表現は季語となって私たちの暮らしに息づいている。そのような言葉が生まれたのは、稲作のためばかりではない。恋人を待って雨を眺めていたからでもある。王朝文学の理念である「あはれ」が、性的欲求不満がたまったため息だという説もあるように、「長雨《ながめ》」は「眺め」であり、つくづくもの思いにふけることであった。

九月《ながつき》のしぐれの雨に濡《ぬ》れ通《とほ》り春日《かすが》の山は色《いろ》づきにけり

（巻十・二二八〇）

九月の時雨に濡れ通って春日の山はすっかり色づいた（二二八〇）、と、時雨に濡れて深まる秋が詠まれている。

色づいたのは山ばかりでなく、恋心でもあったのだろう。一雨ごとに植物が育ち、一雨ごとに木々が色づくように、私たちは恋をしてきた。今のようなゲリラ豪雨では、もはや恋心も育つまい。地球の温暖化は四季や言葉のみならず、私たちの「恋」をも奪っていくものらしい。

〈紀　行〉

地蔵の前に雪の敷かれて

――北斎・一茶・ハーン

伊藤龍哉

岩松院は小布施の集落の行き止まりに位置している。寺の背後には山が切り立つ。その景観からして、以前山寺（立石寺）に旅した折、車窓から目に飛び込んできた岩峰のことなどを思い出す。とはいえ、岩松院は山寺のように俗世を絶ち高峰に籠る修行所ではない。小高い丘の上から集落全体を見守るといった趣である。

『トルソー』の同人四人で小布施を訪れたのは一昨年の暮れのことであった。前日は長野駅の近くのホテルに一泊した。明け方カーテンを開くと、深更から降りはじめたのらしい雪が辺りを一変させていた。家屋は白い塊をなして連なり、路々は白く伸びる。その上を慎重な足取りで、気忙に、コートを羽織った人が雪路を急ぐのがポツリポツリと見える。きょうは十二月三十日である。われわれが宿を発つころには雪は雨に変わった。が、タクシーの運転手からは、これから小布施に向かわれるのならあちらはきっと雪でしょうと告げられた。

小布施は長野市内からいっそう山間にいりくむ。いまから一八〇年の昔、この地に赴いた一人の絵師こそ葛飾北斎であった。時に齢八三。江戸から片道二四〇キロを徒歩でやってきたという。その人となりは、地元の名士にして畏友・高井鴻山によって書き写されている。

卍老人[※1]は、我が家に半年ほど滞在した
ある日、別れも告げずに立ち去った
卍老人は、招いたわけではないのにふらりとやって
きて
立ち去るときも、何も言い残しては行かなかった。
来る時も立ち去る時も、自分の気持ちに従う。

引き留めても、それに甘んじることはない。
自分の（心の）思うままに八十余年生きてきたのだ。

北斎はその最晩年に四度小布施にやってきている。年少の理解者鴻山の手を通して、北斎という人の、貧窮に屈伏もせず、富や名声に媚びることもない、ただ己の画業がいまだ神の域に達しないことだけを憂うる後姿が、深い畏敬の念をこめて偲ばれている。その詩の最後の一行は、「描いた画はいまだ水々しく、染めた色はいまだ色あせない」であった。そこには二人のどのような願いが願われているのか。別の言い方をすれば、何がわれわれに委託されているのか、と言ってもよい。北斎八九歳にして描き上げられた畢生の大作、岩松院の天井画《八方睨み鳳凰図》を見上げながら、わたしは、先程来まで住職の口から語られた絵解きのいくつかを反芻していた。

鳳凰の眼差し

住職によれば、古来より人間の想像力の世界に属する鳳凰という存在は、人々の幸せをあまねく願うものとして語り伝えられてきた。北斎の《鳳凰》は、中心に描かれた鳳凰の頭部と胴体から、松が生え出て茂り、さらにその周りを月桂樹の葉が幾重にも層を作っている。一つ一つの層はさながら巨大な羽を広げているかのごとく躍動している。画の下半分を覆うのは芭蕉の葉と言った。このことから分かるように、《鳳凰》は人間や動物の寿命を超えて植物の長さを生きているのだとの説明は、ちょうど鴻山が、《鳳凰》制作のために、北斎へ高価な顔料を惜しみなく与えた事実と照応する。商人は鴻山に、この顔料を使えば一五〇年は色あせることはないとお墨付きを与えた。

つまり《鳳凰》は、まず、当時の小布施の民衆を見下ろしていたということに留まらない。その眼差しは一五〇年の後の人間の生き死ににまで注がれていた。八方に睨みをきかせて、というところに、北斎の願いの深さも窺われはしないだろうか。

北斎の肉筆画、たとえば《仙人と雁》がここでわたしに思い起こされる。まさかりに片足をのせた木こりが、空舞う雁の群れを見上げている。それは激しい労働のつかの間の休息だ。あたかもそのとき、わたしの眼前で、空をふり仰ぐ木こりに、《落穂拾い》の農婦の姿態が重なり、置き換わったと想像してみてほしい。《落穂拾い》についてはロダンがこう言っている。

「ミレーの『落穂拾い』を（例に）取りましょう。熱い太陽の下でおそろしく労苦している女たちの一人は身を立てなおして地平線を見ています。われわれは、この粗末な頭の中に、一つの疑問がちらりと意識に上ったのを会得した気がします。『何のため?』という事です。この神秘こそあらゆる製作の上に漂う神秘なのです。人間を苦しませようとして人間を生存に繋ぐこの法則は何のためだ。人間に生命を愛させながら、しかも実に惨憺たる生命を与えるこの永遠の詐欺は何のためだ。心を痛ませる問題です!」

《鳳凰》はその鋭いまなこでもって「何のため?」という人間の謎を見据えている。それはありのままの民衆に即することからだけでは決して生まれてはこない、ただ神の域に達することによってのみ表現され得る、孤独な道程なのだ。そこに芸術の存在理由もある。北斎の言う神の域とはそのようにして解されるべきであろう。

わたしたちは背を丸め縮こまって寺から出てきた。畳から足の裏へ直に突きあげてくる冷気は全身を硬直させている。同行者のひとりが、誰にというわけでもなく呟いた。「岡本太郎もあの絵に影響を受けたに違いない」。わたしは頷いた。それは《鳳凰》の、いまだ色あせぬ原色の呪文を直接には指すのであったろうが、わたしには、その人はいま「何のため?」というあの謎に挑む北斎のロマンティシズムと岡本太郎の革命的ロマンティシズムの出会いの場を再創造しているのだと思った。

地蔵の前にて

岩松院を出て駅につながる一本道を歩きだすと、少しして、路傍から奥まったところに十基程の地蔵が立っている空き地がある。親しいなにげなさで並んでいて、地元の人は、散歩の途中に立ち止まったり、時々は落葉を掃いたりもするのだろう。北斎がここを通ったときには、地蔵の前に可憐な草花の二つ三つが供えられたり、線香が上がったりもしたのだろうか。

わたしたちはつかの間空き地に佇んだ。わたしは郷里の地蔵のことを想った。

わたしの田舎は豊後水道に面した鄙びた港町にある。まだ幼かった頃、四月も終わりの学校が休みの日になると(それともあれは放課後だったろうか)、お大師様のところにお菓子をもらってくると駆けて行ったものだ。菓子をもらったことは覚えている。があのとき、赤い前掛けをした地蔵さんに手を合わせて、さい銭を置いていったのかしら。まさか菓子だけくすねたりはしなかっただろうが、子供にとって肝心なことは何しろお参りではなかった。

あそこのお地蔵さんは、と祖母がおもしろい話を聞かせてくれたことも思い出した。ばあちゃんが嫁いできたときには二つか三つかしかいなかったのに、いまでは余程数が増えちょる。だんだん人がいなくなってきて、見てやれる人がいなくなってきて、こっちの隣保班の、あっちの隣保班のと、だんだん一か所に集まってきたんやな。……とすれば、小布施の地蔵もまた、いまのようにはじめから十もは並んでいなかったのかもしれない。祖母はその話を、もういまは子供もいなくなったからおせったいはなくなったと閉じた。地蔵さんを見てやるといった慣習もまた、祖母の世代を最後に消えゆく運命にあるだろうか。

ここの地蔵もまた赤地の前掛けをかけるのだろうか、という疑問に続いて、いまでも笠をかぶることがあるだろうかと、ふと思ったのは、遠い昔は笠をかぶっていたはずだからであった。小林一茶が小布施に滞在したときに作った句に出てくるのである。「おち栗や佛も笠をめして立つ」。

その光景に、一茶は、栗林を抜け出た先にある弘法堂《ぐほうどう》で出会ったのだった。そこのお堂の庭にある地蔵尊はいつも被り物や赤ん坊のよだれ掛けをしていた。たまたまその日は笠がかぶせられていた。それは栗が頭に当たっては痛かろうという、ある百姓の貴い心根の現われであった。真のやさしさの表出であった。一茶の精神はぴたりと呼応した。そんなことも思い合わされる。

「足跡をつけるわけにはいかないからねえ」という声が、そのときいきなりわたしを打って、回想は断ち切られた。それは先生[※2]の声であって、先生は地蔵の写真を撮ろうとカメラを構えていた。もう少し近づきたいのらしい。わたしたちの前には、降り積もった雪が、ひとつの靴の跡もなく敷きつめられていた。その奥に地蔵はこちらを向いている。目を凝らしても、表情をみとめるには隔たりがある。

わたしは、再びわたしの意識が遠のいていくことを感じた。「ああ、先生は若いころにハーンをやった人なのだ」ということが卒然として胸の内に広がり、先生の言葉と遠のく意識とが引き合いながら、ずっとずっと遥かな記憶へ伸びていく。

子供の霊の洞窟

ラフカディオ・ハーンが古い日本の記憶との出会いを綴った一冊に『日本の面影』がある。前日新幹線のなかで、ちょうど、その内のひとつのエピソードをわたしは読んでいた（「子供の霊の洞窟――潜戸《くけど》」）。

その日は世界の果てまでも青々と晴れわたっていた、とハーンは書き出している。松江を出立して御津浦の港へ向かった。その機会をもう幾月も待ちわびていた。「髪の毛三本動かす」ほどの風があっても加賀へは行くな、という言い伝えがハーンを足止めさせていたのだ。

御津浦から舟を出す。快晴にもかかわらず絶壁にむかって波は荒れ狂う。舟はのろのろ北上する。「髪の毛三本」云々は、どうやら迷信というわけではないらしい。二時間ほどすると、やがて大きな美しい入江が視界に入る。たくさんの舟がとまっていて、船頭の爺さんか婆さんかが、あれが加賀浦だと教えてくれる。舟は入江を横切って、断崖に沿ってさらに進む。間もなく目的の岬が目に入る。岬のすそを抜けると、広くて高くて明るい洞穴が見えてくる。舟は音もなく吸いこまれる。水は空気のように透きとおっている。

やがて、ずっと奥のほうの薄暗いところに、青白い石に微笑をたたえた地蔵の顔が見えてきて、ハーンはどこへ来たのか理解した。地蔵の周りいちめんに、形のこわれた灰色のものが寄り集まって、不気味な光景を呈している。墓地の残骸を思わせるが、暗がりに目が慣れてくるにつれて、墓ではないことが分かってくる。それは長いあいだ我慢づよく骨折ったあげく、石や小石を手ぎわよく積みあげて作った塔なのであった。「死んだ子供の仕事です」と車夫は情のこもった笑みを浮かべてハーンに呟いた。

舟から上がるには上がったものの、どうして先へ進んだものだろう。何しろ石の塔が夥しくぎっしりつまって立っていて、足の踏み場もないのだ。「まだ道があります」とは婆さん。道案内につき従い、ハーンは続ける。

「婆さんの後について、右手の洞窟の壁と大きな岩とのあいだへ身をすぼめてはいると、石の塔のあいだに極く狭い道がある。しかし、子供の亡霊のためによく気をつけるようにと注意された。もし亡霊がつくった石の塔を倒すと、子供の亡霊は泣くだろうから。そこで、わたしたちはひどく用心しながらゆっくりと洞窟を横ぎって、石の積んでいないところへ行った。そこは、上のほうの崩れかけた岩棚のかけらの砂が層をなして、岩の床のいちめんに薄くかぶさっている。そして、その砂のなかに、わずか三、四インチの長さの、子供の小さな跣足《はだし》の軽い足跡がついている――これが幼な児の亡霊の足跡なのである」。

このときわたしは一枚の美しい絵画を読んだように思った。

そしていま、自分は別の美しい絵のなかに立っているのだと知った。その絵には、空き地に二人の男と二人の女が佇立している。地蔵の前には雪が敷かれる。足跡ひとつない、まばゆい白い輝きを放って。

やがて再び、しぜんと示し合わせて、四人は駅のほうへ歩き出した。そこから離れる離れ際に、わたしはもう一度足を止めて、その絵に一瞥を投げる。「まのあたり先師を見る、これ人に逢ふなり」と道元は師を顧みて述べたことがある。そう懐奘《えじょう》は書き残している。絵のなかの若いほうの男は、もうひとりの男の後姿を見つめている。青年はいま、まのあたりに「人」を見ているのだ。一五〇年の昔と後《のち》の人間のありようにまで目を注ぐ、その人とは、日常の行住坐臥において、どのような態度を帯びるべきなのかということを考えつつ。

※1　葛飾北斎。七五歳から「画狂老人卍」と名乗った。

※2　立野正裕。英文学者、明治大学名誉教授。共訳に、ラフカディオ・ハーン著『文学の解釈Ⅰ・Ⅱ』（恒文社）がある。

訣《わか》れの挨拶

今年は「学徒出陣」から八〇年。その中に京都帝大に学ぶ林尹夫《ただお》もいた。『戦艦大和ノ最期』の吉田満が、われわれ戦中派の最も優れた知性と惜しんだ学究である。敗戦の二週間前戦死した。林の手記『わがいのち月明に燃ゆ』に次の一節がある。「君　我より十日はやく征でゆく／忘れ得じ十二月一日朝まだき／未だ暗く眠る京を／北より南へ共に歩みしことも／過ぎし日の夢とはなりぬ」。

「君」と呼びかけられた友は戦争を生き延びた。友が回想する訣れの挨拶は、かれらの世代の心情を告げているようでならない。その日、二人が駅に着いたときは既に学徒兵を送る旗が盛んであった。「私どもは早々に別れたと記憶する。運動部時代のバッグ一つもってフォームに向う私を、『ハイキングに行くみたいね』と笑ったのが、林君から聞く永久に最後の肉声となった」。この笑みに自らの世代を洞察したのが鮎川信夫の『アメリカ』であった。「それは一九四二年の秋であった／『御機嫌よう！／僕らはもう会うこともないだろう／生きているにしても　倒れているにしても／僕らの行手は暗いのだ』／そして銃を担ったおたがいの姿を嘲けりながら／ひとりずつ夜の街から消えていった」。（秋月朔帆）

〈対　談〉

人はなぜ旅に出るのか

――前田朗『旅する平和学』＋立野正裕『スクリーンのなかへの旅』出版を記念して

ここに掲載するのは、二〇一七年六月三日（土）東京渋谷区の勤労福祉会館にて行われた、対談「人はなぜ旅に出るのか」の模様である。主催団体「平和力フォーラム」の前田朗さんがインタヴュアーとして、立野正裕さんから旅をめぐり様々に話を引き出している。耳を傾けていただければ幸いである。

【編集部】

はじめに

前田　みなさまこんにちは。きょうは「人はなぜ旅に出るのか」というテーマで、立野正裕さんにインタヴューをお願いしています。この春、わたしは『旅する平和学』（彩流社）という本を出版しました。同じ出版社から立野さんが『スクリーンのなかへの旅』（彩流社）を出されています。どちらも旅をテーマにしています。そこで両著の出版記念としてインタヴュー講座を思いついた次第です。ご案内チラシの宣伝文句にわたしは次のように書きました。

〈あなたはどんな旅に出てきましたか。
旅先で、どんな出会いがありましたか。
旅先で、何を考えてきましたか。
あなたは一人旅派ですか、それとも団体旅行派ですか。
ひとり思索に集中する旅と、仲間とワイワイ楽しむ旅。
そして、目的地を決めた旅、探し物をする旅、あてどなく彷徨《さまよ》う旅。

前田朗『旅する平和学』、立野正裕『スクリーンのなかへの旅』（いずれも彩流社）の出版を記念して、下記のインタヴュー講座を企画しました。旅、文学、映画、そして平和について、もう一度考えてみませんか。〉

立野さんはそれ以前にも旅に関わるテーマの著作を出されています。じつはもっと前にもいちど、立野さんにインタヴューさせてもらったことがあります。もう十年ほど前ですが、そのときのテーマは「非国民入門セミナー」というものでした。立野さん、覚えていますか。

立野　はい、その後本に収録されたインタヴューです。

前田　現代日本の非国民について考えようという趣旨でいろいろな方にインタヴューしました。立野さんの『精神のたたかい——非暴力主義の思想と文学』（スペース伽耶、二〇〇七年）という著書を拝読して、ぜひインタヴューをさせてくださいと、お願いしました。

立野　そうでしたね。たしか前田さんとお会いするのはそのときが初めてでした。

前田　面識がないのに、いきなり「非国民にインタヴューをしたいので、出てください」とお願いしました（笑）。立野さんにお引き受けいただいてインタヴューが実現しました。いろいろな方にインタヴューをしましたが、その記録を『平和力養成講座——非国民が贈る希望のインタビュー』（現代人文社、二〇一〇年）にまとめました。立野さんへのインタヴュー部分は、後に立野さん自身のご著書『洞窟の反響——『インドへの道』からの長い旅』（スペース伽耶、二〇一四年）にも収録されています。

そのときも「旅」を手掛かりにしたわけです。イギリスの作家・フォースターの小説『インドへの道』を中心にお話しいただいたと思います。今回、改めて「旅」ということでお願いすることにしました。ということで、立野さんきょうはどうもありがとうございます。

立野　こちらこそ。よろしくお願いします。

惨劇の物語から

前田　この春、立野さんは勤務先をめでたく定年を迎えられたということですね。学生時代から通すと半世紀にわたる文学者としてのご経歴ということになります。そこで最初の質問としては、一言でお話しいただくのはちょっと無理な話とは思いますが、それを承知のうえでお聞きしたいのは、まずはこの半世紀を振り返ってということで一言お願いします。

立野　そうですね。一言でいうのはたいへんむずかしいわけですけれども、あえて申しますと、ずいぶん小説を読んできたということでしょうか。子どものときから物語や小説が無性に好きでした。残念ながら小説を書く才能は自分にはどうもありそうにないとは思いましたが、読者としてはありとあらゆるものというと大げさですけれど、日本は翻訳大国でもありますから、優れた翻訳作品を通して世界文学を読むことができます。しかも同じ名作が何種類も翻訳がありますから、それらもできるだけ読むようにしてきました。いまにいたるもこれがわたしにとっては非常に楽しい半生だったと思いますね。

　高校を卒業して大学を受験するにあたり、わたしの大学はマンモス大学ですから面接試問というものはありませんでした。けれども、わたしは勝手に面接の場面を想定して、もし口頭で試問を受けた場合に、「きみの愛読書はなにかね?」と尋ねられたら、真っ先に答えようと思っていたのが「ドフトエフスキーの『罪と罰』です」、と。「では二番目に好きな本はなにかね?」と訊かれたら「『スタンダールの『赤と黒』です」、と。「三番目に好きなものはなにかね?」と訊かれたら「ヘルマン・ヘッセの『荒野の狼』です」、と。念頭にこの三冊を置いていました。

前田　それぞれについて、一言感想を述べよとか訊かれますよね。

立野　そうですね。

前田　三冊についてしゃべっているほど面接時間はないんじゃないんですか（笑）。

立野　そうなんです。ですからベストワンはと訊かれたら、やっぱり『罪と罰』ですね。わたしに限らず、多くの方々がドフトエフスキーを真っ先に挙げるでしょう。『カラマーゾフの兄弟』だったり『悪霊』だったりするでしょうが、『罪と罰』がまず筆頭にくる作品じゃないでしょうか。

前田　わたしは高校生のときに新潮文庫版を読んだと思います。

立野　そうですか。

前田　立野さんが読んだのは?

立野　わたしは一九六二年、高校一年の十二月、中央公論社から「世界の文学」という全集が刊行されたばかりで、その配本第一冊目が『罪と罰』だったのです。赤い表紙の瀟洒《しょうしゃ》な本で、池田健太郎さんの訳でした。その池田訳で読んだのが本格的にドフトエフスキーを読んだ最初で、たぶん三日ぐらいで読んだのじゃないかと思います。ほとんど徹夜で読みましたね。じつは小学六年のときにいちど読んだことがあるのです。題名に妙に引かれて学校の図書室で読みましたが、そのときも打ちのめされました。といっても少年文学全集の一冊で、完全訳ではなかった。物語本位のいわば翻案だった。それでも物語から強烈な印象を与えられて忘れられなかった。

大学受験は専攻が英文学ですけれども、高校時代までロシア文学、フランス文学、ドイツ文学のほうにむしろ関心が強くて、英米文学はじつはほとんど念頭になかったんです。

前田　ははは、なるほど。

立野　わたしが文学部の英文学専攻にはいったのは英語が好きだからというそれだけのきっかけでした。偶然のそれが昂じてその後大学院へ行って、それから研究者のはしくれになって、そのまま自分の母校の教壇に立つことになって、とうとう定年を迎えた。ですから通算五十二年間、半世紀以上も、母校明治大学の恩恵をこうむっております。しかも英文科です(笑)。高校時代の愛読書を三冊挙げたところで話の皮切りとさせてください。

前田　ドフトエフスキーの『罪と罰』については、立野さんは、これまでエッセイか評論かで論じられたこともおありになるわけですか?

立野　いや、評論として書いたことはありません。

前田　書かれていない?

立野　自分一人のための感想的な覚え書き、または手記として書いたものは何種類もあるんです。だいたい十年に一回は読み直す本が『罪と罰』なので、そのつどメモを取っておくわけです。

この小説はみなさんもお読みになった方が少なくないと思うんですけれども、じつに映画的な物語なのですね。小説の冒頭、主人公が高利貸しのおばあさんを殺すショッキングな場面がある。いきなり物語の最初の場面ですよ。脳天に斧を振り下ろして殺してしまう。怖ろしい場面です。もう、小学生のころは夢にまで見たくらい生々しい場面です。

大学の教師になってから、文学部の授業で一年生向けの「文学概論」とかそういう講義科目を担当させられると、まずもって英文学の話よりも『罪と罰』の話をする。長編ですから長いでしょう。ですけど、おばあさんを殺す場面――教壇でその場面だけでも一時間かけてやるんです。これが相当インパクトがあるようですね。独り舞台のようにして演じてみせる。学生が家庭に帰ってご父兄にそのことを報告されるらしいんです。まるでうちの先生は自分で実際におばあさんを殺したことがあるみたいなしゃべり方をするよ、と（笑）。

前田　ないんですか？（笑）。

立野　もしあったら、ちがう授業になります（笑）。

前田　大江健三郎が若い時代、よくドフトエフスキーの『罪と罰』のことを書いていて、大江がかならず強調するのはソーニャのエピソードのほうですね。犯行のことっていうのは、あまり大江は書いていないような気がするのですけども。

立野　そうでしたかね。まあ、そうかもしれませんが。

前田　どこに焦点を当てるか。どこにいちばん関心をもって、どこを頭のなかで映像化するかは、それぞれの読み手によってちがうと思うんですが、なぜそのラスコーリニコフが斧をふるうところが立野さんの頭のなかで映像化されたのでしょうか。

立野　人間の頭に斧を振るうっていうのは、常に最もショッキングな映像ですよね。わたしは岩手県の遠野の出身なんですけれども、ご存じのように柳田國男の『遠野物語』という物語集成がありますね。民話を集めたものですが、あのなかには実話も含まれておりまして、そのなかに息子がじつの母親を殺すというまがまがしいエピソードが含まれています。嫁と姑の仲が悪くて、あいだにはいった息子がじつの母親を殺すんです。

殺すと決めてから鎌を研ぐんですね。その様子から、息子が本気だと母親は思う。だから命ごいをするんです。しかし息子は思い詰めている。「いいや、どうしても許されねぇ」と言ってごしごし鎌を研ぎ続ける。もう狂気を帯びているわけです。それから夕方ごろになって犯行に及ぶ。実際に鎌で母親に斬りつけるわけです。一回目は失敗する。家のなかですから、頭上にちょうど梁があってそこにぶつかってしまい、うまく斬れない。二度目、母親をこんどは正面から袈裟懸けに斬るんです。頭ではないが同じくらいショッキングで、その場面などは、柳田國男の非常に簡潔な文章ですけれども迫力のある名文で語られている。脳裡に場面が焼き付きました。

なにかこう、ドフトエフスキーと出会う前にそういう場面を読んでショックを受けたことが気になってならず、わたしは親戚の人に訊いたことがあるんです。「村でこんなような事件があったこと覚えている？」。そしたらむかしは嫁と姑が仲が悪くて鎌や鉈を持ち出す。その場合、嫁さんを殺さないで母親を殺すって言うんです。表立っては語れない話が、部落に……いやどの部落とは言いませんが、部落に、遠野物語のほかにもある、と。それは子ども心に、ものすごいトラウマのようなかたちで記憶に残っていて、それがたぶんドフトエフスキーの

『罪と罰』を読んだときに呼応して記憶が映像的に喚起されたのではないかと思いますね。

前田　なるほど。耳にしたというだけの話でも子ども心に深く印象付けられるということはあるでしょうね。

立野　実際、柳田に話を聞かせた佐々木喜善の全集をのちに読みました。すると同じ東北ですが、宮城県のほうの話でこういう事件の顛末が語られていていよいよ印象付けられましたね。気の小さい実直な郵便配達人が為替をごまかしたとてっきり自分が疑われているとばかり思い、ふさぎ込んだ。それで鉈を何日もかけて研いで、夜中に家族全員を斬殺したという事件があったことを喜善が伝えているのです。

いっぽう柳田の『山の人生』を読むと、これは美濃の山奥の話ですが、炭焼きの男が自分の子ども二人の首を斧でぶった切ったという事件があったそうです。貧困から起こった事件ですが、これが胸を衝かれるのは、子どもたちが自ら父親の前に首を差し出したのです。自分たちで斧を研いでおいて、おとう、これで首を切ってくれと頼んだと語られている。

だからわたしにとっては、小説とはまずもってこういうものすごいイメージありきなのです。因果なことに、それがなぜか惨劇のイメージなんですね。

前田　遠野物語とドフトエフスキーがつながってしまうわけですね。

立野　はい、そう言っていいと思いますね。わたしのなかでは独特のつながり方をしていた。

前田　わたしは『遠野物語』を若いときに読んでいないので、まったく想像がつきません。遠野出身の立野さんにとっては、ある意味で必然のつながりということになるようです。

きょうは土曜の夜の渋谷でインタヴューなのに、いきなり惨劇の話で、お聞きいただいているみなさんにはたいへん恐縮です（苦笑）が、そういうかたちで、少年立野さんの頭のなかに一つ刻み込まれたイメージ。それが塗り重ねられてより強く印象に残って、大学受験のときにこれをしゃべろうと思っていた。それ以後の立野文学の歴史にもさまざまな影響を与えているであろうと思います。

さて、続いてもう少し立野さんのご著書のことですが、わたしが勝手に「彩流社三部作」と名前をつけました。そんな名前ついていないんですよね。予定は何部作になるのでしょうか?

立野　いまのところ分かりませんが、五部作ぐらいでしょうか。（注――二〇二二年現在で彩流社から刊行した紀行は十冊をかぞえる。)

前田　とりあえず、いま出ているのは三部作ですが、まず『紀行　失われたものの伝説』という著書があります。そのなかから少しここは補っておきたいと思われるところがあれば、そこからお願いします。

『紀行　失われたものの伝説』

立野　この本にはヨーロッパ各地へ旅をした、そのときのことを紀行として書いたものが収められています。全六章に分けてございますけれど、一つだけここでお話しするとすれば、さしあたり第一章のノルマンディへ旅をしたときのことでしょうか。

ご存じのようにノルマンディは第二次大戦の帰趨《きすう》を決する大作戦が行われた海岸ということで有名ですよね。映画にもなっております。子どものころに『史上最大の作戦』という、おもに連合軍側から撮った映画を見ました。当時のハリウッドを代表する大スターたちが勢揃いと言っていいくらいその映画に登場していました。

前田　『史上最大の作戦』(一九六二年)は、監督がケン・アナキン、ベルンハルト・ヴィッキ、アンドリュー・マートンの三人で、イギリス、ドイツ、アメリカでの撮影だそうです。二十世紀FOXが総力を挙げて製作した大作ですね。出演はジョン・ウェイン、ロバート・ミッチャム、ヘンリー・フォンダ、エディ・アルバート、リチャード・バートンなど。当時の人気歌手のポール・アンカが主題曲の作詞・作曲をしていますし、本人も出演している。

立野　スターを並べたいわゆる総花式映画ですから、顔見世興行みたいなものなんですね。壮大なスペクタクルですが、ドラマはどっちかっていうと単純です。白黒の映画でノルマンディ海岸のその海岸線を、連合軍の艦船がびっしりと埋め尽くす。あの映像が記憶に刻まれています。それから波打ち際での死闘が繰り広げられるわけです。それもわたしの記憶に刻まれていました。

後に日本でも大ヒットしたスピルバーグ監督の『プライベート・ライアン』という映画もノルマンディ上陸作戦から始まるんですね。非常になまなましい場面で、フィクションとは言いながら迫力のある映像がずいぶんと評判になりました。

前田　『プライベート・ライアン』(一九九八年)はスティーヴン・スピルバーグ監督、出演はトム・ハンクス、エドワード・バーンズ、マット・デイモン。アカデミー賞五部門受賞ですね。

立野　この二つを代表として、さまざまなノルマンディ上陸作戦をモチーフとした映画がつくられています。わたしがノルマンディに魅かれたのはもちろんその上陸作戦のことがあったからですけれども、旅をしたときは、ノルマンディ上陸作戦を成功させてから数日後におこなわれた戦闘で戦死した一人の英国軍将校がおりまして、キース・ダグラスという名前だった。かれは詩人なんですが二十代半ばでした。この詩人をよく知っているという英文学者は日本にはほとんどおりません。事実、マイナーな詩人なんです。

しかしメジャーかマイナーかは関係なく、わたしは自分に興味がある文学者とか詩人であれば、その人のゆかりの地を訪ねてゆくのがこれまでの自分の旅で一種の流儀になっているんです。それでキース・ダグラスの場合も、その墓を見たいと思ってノルマンディへ出かけました。『シェルブールの雨傘』という、カトリーヌ・ドヌーヴ主演のミュージカルがありますね。ノルマンディの突端にある港町ですが、そこを起点にして海岸線を三日ぐらいかけてずうっと半島の付け根に向かって移動しました。

前田　ジャック・ドゥミ監督、ミシェル・ルグラン音楽のミュージカル映画『シェルブールの雨傘』(一九六四年)は第十七回カンヌ国際映画祭グランプリ受賞です。カトリーヌ・ドヌーヴの出世作でもありますね。『史上最大の作戦』が一九六二年、『シェルブールの雨傘』が一九六四年。わたしは小学校低学年で当時観ていませんが、立野さんは高校生のころでしたか。

立野　そうですね、あのころ映画がいま以上に光り輝いていたと言っていい時代です。いま申しましたようにシェルブールはノルマンディのずうっと北の半島に突き出しているその先端にある。そこから一路南下すると、上陸作戦が行われたいくつもの海岸に名前がついています。現在でもユタ・ビーチ、オマハ・ビーチ、ソード・ビーチとか、全部名前がついているんですけど、それをもちろん全部見てから探訪を続けたのですが、ゴールド・ビーチに上陸してから作戦に従事したはずのキース・ダグラスの墓は、フランス内陸部にあってなかなか探し当てられなかった。あらかじめ下調べはしてありましたが、それでも現地の土地勘がないので苦労しました。道路を行ったり来たりしているうちに、最終的にやっと見つけることができたんです。肝心のその詩人の墓がある墓地にたどりついてみると、いずれも同じ規格の同じかたちで立っている墓ですからね、ちょっと見分けがつかないのです。墓の前に花束一つ置かれているわけでもない。キース・ダグラス、この若者の詩にとくにこころを引かれる一編がありました。

前田　どんな詩でしょうか。

立野　情景としては子どものころの遊びをする場面です。いっぽうからボールを空高く投げ上げるでしょう。それが空中に放物線を描いてやがてこちら側にいる自分の手元に落ちてくる。そういうふうに始まる詩です。ところが空に向かって投げ上げたそのボールが、空中で砲弾に変わるんです。地上にいて飛んできたその砲弾を受ける。ということは五体がぶっ飛ぶということなんですね。つまり、子どもの遊びがいきなり戦争のイメージへとつながっていく。

前田　なるほど、すごい。

立野　ええ、初めてその詩を読んだとき、すごい想像力だと思いました。第一次大戦と第二次大戦のあいだで少年時代を過ごしたダグラスは、けっして戦争が終結した平和な時代に生まれ合わせたわけではなかったのです。牧歌的な少年時代の牧歌的なボール遊びのなかに、過ぎ去った第一次大戦の記憶とともに、やがて来たるべき新たな戦争のイメージとが二重写しか、あるいはひとつながりのものとしてとらえられていた。

ですから、その詩人はマイナーではあるけれど、その詩一つが強烈なイメージとしてわたしの印象に残った。その墓の前に立って、「わたしはきみの詩を読んでここへ来たよ」と告げたいと思った。それでダグラスの詩集を持って行ったんです。

前田　なるほど。

立野　ダグラスはこの大戦で死んでいますけれど、第一次大戦から約二十年経って第二次大戦が始まっていますよね。いわゆる戦間期と言われる第一次大戦が終結した一九一八年から第二次大戦が始まる一九三六年、つまりスペイン戦争から始まりますからね。この間の二十年弱――ここに生を享けたヨーロッパの子どもたちの世代はいわばすでに戦争漬けで生まれてきたわけです。子どもの時分から戦争の刻印をいやおうなしに帯びさせられている。ですから青年期を迎えるか迎えないかのころに、少年たちは自発的に志願して戦闘員になろうとした。

キース・ダグラスもそういう少年の一人だったんです。存命であれば相当な才能を発揮しただろうと思うんですが、本人にしてみれば英語圏ですぐれた詩を書く詩人たちはみんな第一次大戦で戦死している、と思い込んでいました。

というのも、イギリスでは反戦詩『引導を渡された若者たちのための頌歌』を書き、戦争が終わる一週間前に陣没したウィルフレッド・オーウェンという最も有名な詩人、逆に愛国的な詩を書いて夭折したルパート・ブルック、それから、カナダ出身でありながら英語圏で最もよく知られることになる一編の詩を書いたジョン・マクレーという詩人。こういった詩人たちはみんな第一次大戦で死んでいる。

前田 じつに大勢の戦争詩人が輩出した戦争だったんですね。

立野 したがってダグラスからすると、第二次大戦に自分は従軍するが戦争詩人として書くことはもうなにもない。必要なこと、書くに値するようなことはすでに先輩たちが第一次大戦のとき書き上げていて、のちの世代の自分は書くことがなくなったと思っていた。その劣等感のもとでダグラスは戦場に行ったのです。それもあってと言うと語弊がありますが、もう自殺行為としか思えないようなかたちで戦闘に参加するんですね。それだけではなく、上官の命令を無視してしまう挙に出るんですから驚きます。

上官から「お前はここの配属だ」って言われるけれども、もっと苛酷な戦闘地域へ行きたいのでわざわざ偽の命令書を持って自分が行きたい場所へ行く。隊の司令官の前に行ってその偽の命令書を出すんです。

前田 そんなインチキが当時の軍隊で通ったんですか。

立野 もちろんすぐにばれますよね。下手をすれば軍法会議です。ところがどういうわけか、その経緯がよく分からないんですけれども、師団長以下自分の部隊の上官たちが、「こいつは見どころがあるやつだ」っていうんで戦車隊の隊長に抜擢《ばってき》されてしまう。それでアフリカ戦線に従軍してからいよいよノルマンディ作戦に行くのです。自分から志願してノルマンディへ行って、なんとしてもこの大作戦に参加したい、と。それでまたも潜り込んでやはり中隊長ぐらいに任命される。

前田 中隊長ですか。

立野 それもまだ二十五歳かそこらですよ。上陸して確か三日後ぐらいの作戦でしたろう、敵の榴散弾《りゅうさんだん》がすぐ頭上の木の幹に命中する。幹もろとも木端微塵にはじける。ちょうど幹の陰にいたダグラスは弾けた木の破片をまともに食らって死ぬんです。あっという間のことだったようです。この死にざまというか、生きざまというか、いずれにせよノルマンディの激しい戦場でけっして珍しい死ではなかったはずです。けれどもこれにわたしはショックを受けると同時に、ほとんど魅せられたとも申せます。

前田 魅せられた！

立野 いや、魅せられたと言うといよいよ語弊がありますけれどもね、それでも事実をありていに言えば、さきほどちょっとご紹介したダグラスの詩をそのままわたしは想起させられるようだったのです。ぜひダグラスの墓の前へ行って、「わたしはきみの詩を読んでここへ来た」と、ひと言それを告げたいような気がしてならなくなった。それがノルマンディに行くきっかけになりました。本にはそのことを書いたんです。

縮めて言えば、わたしが書きたかったことは、第一次大戦が終わって第二次大戦が始まるまでの二十年間、いわゆる戦間期――インター・ウォーですね。その時期に生まれた子どもたちは平和な時代に生まれたんじゃない。戦争と戦争のあいだのつかの間のウィークエンドに生まれたにすぎない。

どうやって人間は戦争への暴力性というものをその精神の根底に、あるいは魂の根底に宿すのか。キース・ダグラスの詩を読むとそれがよく分かるような気がする。その意味でダグラスの墓参りをしよう、とこう考えたのでノルマンディへ出かけたんです。

前田　同じ時代に、ワシントン条約体制になり、不戦条約がつくられ、ウィルソンの民族自決論やレーニンの人民自決論など、平和とか民族の権利ということにかなり焦点が当たっていたにもかかわらず、立野さんの認識としては、むしろ第一次大戦から第二次大戦への流れのなかにあった。

立野　そうです。時代を潮流になぞらえるならば二つの大戦は戦争の時代という押しとどめがたい巨大なひとつながりの潮流そのものだったのです。

前田　そのあたりの歴史認識をもう少し詳しくうかがえませんか。

ヘミングウェイとフォースター

立野　歴史認識と言えるほどのものかどうかはともかく、わたし個人にとっては歴史的な認識に最初にはっきりしたかたちを与えてくれたのは一人の作家でした。それはアーネスト・ヘミングウェイだったんです。ヘミングウェイはご存じのように『武器よさらば』で最も有名ですし、スペイン戦争に題材をとった『誰がために鐘は鳴る』で世界で最も広く読まれる現代作家の一人になりました。このヘミングウェイが第二次大戦中、古来戦争について書かれてきたさまざまな文章を自分で編集して、一冊の本として出版するんです。その本のタイトルは『戦争のなかの人間』というのです。

収められているのは古代ギリシアの歴史家――戦争、戦記を書いた歴史家から現代の自分にいたるまで、もちろんそこにはトルストイもはいっていればスタンダールもはいっているんです。そのスタンダールもナポレオン戦争、それからトルストイはもちろん自分自身が将校でした。戦争で人と人とが殺し合うということはどういうことか。その強烈な個人的な関心からクリミア戦争にも志願しました。『セバストポリ』という作品がそうですね。のちにはナポレオン軍をロシアが迎え撃ったボロジンの戦いを大作『戦争と平和』のなかに描きましたね。またスタンダールは『パルムの僧院』でワーテルローの戦いを描いています。それらかずかずの古今の傑作のなかから、ヘミングウェイが独自にここぞというくだりを抜き出して一冊の本に編んでいるわけです。

序文にヘミングウェイはこう書いています。第二次大戦が始まっている現在、第一次大戦とのあいだに二十年の歳月が流れたが、これはロング・ウィークエンドにほかならなかった。つまりほんとうの意味での平和な時代ではなかった。これはたんにインターバルにすぎなかった。第一次大戦、第二次大戦と分けて考えることはできないのであって、これは一つながりの戦争なのである。こういう認識をヘミングウェイがそこに書いておりまして、それに自分は影響を受けたと思いますね。

というのも、同じ歴史認識をわたしはもう一人の作家、イギリスのフォースターという作家の発言をとおして知っていたからです。フォースターという作家もまた人間の文明を戦間期という相のもとに考えていた人です。そして文明の健全さの尺度をこの戦間期という期間をどれだけ長く維持出来るかという観点から見ていた。ヘミングウェイの歴史観や文明観にもそれに通じるものを感じたのです。

前田　二人とも小説家というところが立野さんらしい。

立野　歴史書よりも小説のほうが、いっそうヴィヴィッドな人間や動的な歴史というものを想像させてくれますからね。その意味で、この両作家の歴史認識がとくにきわだって独創的とは言えないのかもしれませんが、わたしが自分の歴史観というものを吟味するときは、いつもこの二人の二十世紀英米の現代作家の名前と作品を二十代で愛読した文学経験に結びつけて考えることにしているのは確かですね。

前田　第一次大戦、第二次大戦両方含めて、立野さんが戦跡をめぐる、あるいは兵士の墓をめぐるようになったのはいつごろからですか?

立野　とっかかりはまったく偶然だったのです。一九九二年六月から七月にかけてベルギーに行きました。ベルギーへ行く前はイギリスに八カ月ほどいて、各地を旅していたんです。それからイギリスからドーヴァー海峡を船でわたって、ロッテルダムでレンタカーを借りまして、ドイツ、オランダ、ベルギー、フランスを駆け足で回りました。せいぜい二週間か半月ぐらいの短期間でしたが。

ベルギーへ行ったとき、わたしの目的というより希望がありました。ある花をこの目で見たいと思っていた。ベルギーというのは西ヨーロッパの穀倉地帯でしょう。六月の末くらいですとちょうど一面の麦畑に出揃った穂が波打って、ずうっと地平線の彼方まで広がっている季節なのです。

目の覚めるような緑の海原に混じって対照的に真っ赤な罌粟の花が咲く。それを以前文献で読んでわたしは知っていました。写真でも見ていました。

前田　青々とした麦畑に真っ赤な罌粟の花が群生をなしている写真ですか。それは壮観ですね。

立野　はい。その映像が脳裡に焼き付いていたものですから、この目でぜひ見たいと思っていました。そしてゲントまたはヘントという町に泊まったときに、ホテルのバーテンのおじさんに罌粟の花を見たいがどこへ行けば見られるかと尋ねた。すると即座にその人が「イーペル」と答えました。コースターの裏にイーペルって書いてくれました。それでわたしは翌日南下してイーペルへ向かいました。そのときに地名を思い出せばよかったんです。イーペルです。記憶のどこかにあったはずなんですが、そのときは思い出せませんでしたね。

前田　イーペルですか、毒ガスのイペリットのもとですね。確か人類史上最初の毒ガス戦がイーペルで行われたので、毒ガスの名前がイペリットになったんでしょう。

立野　そうなんです。史上初めて毒ガスが使われた戦いが第一次大戦下の西部戦線で、第三次イーペル戦と言われています。第一次、第二次、第三次のイーペル戦があったんですね。

ところで、そのイーペルはかつて中世のフランドル地方で最も有名な織物工業、織物産業の都市の一つだったのです。近代以降はもう歴史上の役目は果たし終わっていましたが、ブリュージュやブリュッセルと同じように美しい都市でした。

ブリュッセルやブリュージュなどは観光都市としていまでも世界中から人々がやって来る。だが、イーペルは町の規模が小さいですから、年に一回のお祭りのときを除けば観光客も大挙して出かけるということはない。ふだんはひっそりと静まり返って、落ち着いた中世の雰囲気を湛えた気品ある小都市だった。ゴシック時代のフランドルを調べていた時期があって、そのころコルトリークなどとともにイーペルという小都市も書物に出てきました。それが頭のどこかにあったはずなのに、そのときはただちに結びつかなかったんです。

だが行ってみたら、言われたとおり周囲はどこまでも果てしなくみごとな麦畑が広がっていました。この地方は海抜ゼロメートル地帯ですから地平線の向こうまでです。ところが肝心の罌粟の花が全然見えない。車を走らせていると、罌粟の花の代りに白いものが点々と見える。近づいてみるとそれが全部墓標なんですね。すべて同じ規格で、高さ五十センチか六十センチぐらいの白い石板の墓標です。それが畑のあちらこちらにある墓地にずうっと並んでいる。

最初はちょっと異様な感じがしましたが、ああ、そう言えばここは第一次大戦フランドル戦線の舞台だったんだと遅ればせに気が付いた。しかし肝心の、わたしが見たかった罌粟が見られない。それでいったん町に引き返し、あちこち訊いて回りましたよ。交番、カフェ、ガソリンスタンド、書店、花屋などおよそ二十カ所ぐらいは訊いて回ったでしょう。ところが最後にインフォメーションセンターに行って、「いや、近年イーペル近郊ではもう罌粟の花は咲きません」とあっさり告げられました。特殊な農薬が開発されたためだそうです。

罌粟の花が咲くと麦の収穫が影響を受けるので、罌粟の花が咲かないように農薬が開発された。それを聞かされて正直なところがっかりしたんです。でもあきらめきれなかった。広大な麦畑のあいだの道を車を走らせて丹念に探して回りました。すると、なんと、ごく小さい畑でしたが一つだけ罌粟が咲いている畑を見つけられたんです。この話はもうこれまでになんどもしゃべっていますが、あの日の光景だけはいつも新鮮で、はっきりと脳裡に焼き付いていますね。

前田　せっかくですから、かいつまんででももう一度聞かせてください。

フランドルの罌粟の花との遭遇

立野　天気はよかったけれども風の強い日でした。わたしが行ったときに、たまたま一陣の突風のような風がばぁっと吹いたんです。その風にあおられて罌粟の花びらが空中に高く舞い上がったんです。

前田　ほう、それは……。

立野　ご存じのように罌粟の花は満開になるとすぐ散ってしまうでしょう。風のために何百という赤い罌粟の花びらが飛び上がった。真っ赤な蝶のように空に舞い上がって、それから風に乗って道路の反対側へ飛ばされていった。見ているとそれが次々と地面に落ちるんです。花びらが着地した場所には白い墓標がずうっと並んでいました。そして、その墓標と墓標のあいだに赤い罌粟の花びらが吸い込まれていくんですよ。もう、ぞっとするぐらいのすごい光景でした。こんな光景はついぞ見たことがない。生まれて初めてです。

前田　まったくの偶然だったんですね。

立野　正真正銘の偶然だったんです。ですがその日以来わたしにとっては、罌粟の花と第一次大戦における戦没した兵士たちとの関係が完全に結びつき、溶接されてしまったと申しても差し支えなくなってしまいました。それで半年もたってから日本へ帰って来たころに、またまた遅ればせに思い出した。この第一次大戦で戦死した兵士の一人が、お姉さんがたまたま作家で、キャサリン・マンスフィールドという短編小説の名手だったんです。このお姉さんに当たる人がこの弟のことを書いた小説があって、これをすぐにわたしは思い出して然るべきだったんです。けれども日本に帰ってくるまで思い出せなかったんですね。

前田　現地では思い出せなかった。

立野　はい。そのことについて書いたのが『フランドルの罌粟の花を探して』という紀行です。これ以降わたしにとっては、紀行というスタイルで自分の文章を書くことが、自分の主要な叙述スタイルになっていったと思いますね。

前田　わたしの関心からいくと、第一次大戦でイーペル戦ということは、史上最初の毒ガス戦が戦われたその場所なわけです。一般的にはドイツ軍がフランス軍に対して毒ガスを使い、それに対抗してフランスも急速に開発してやり返す。双方膨大な被害が起きた最も悲惨な一つの場所です。これに学んでイギリスもアメリカも日本も毒ガス開発に走る。

立野　そうですね。

前田　となると、麦畑と罌粟の花と毒ガス、とわたしにはつながるんですが、そこが毒ガスではなくて、いまは農薬になっているというわけですね。

立野　ええ、そうです。

前田　農薬を使うようになったために罌粟の花が麦畑に少なくなった。農薬は毒ガスの近接領域ですから、毒ガス戦の戦場に農薬が散布されて、そのため罌粟の花が消えて、そこに墓標だけが並んでいる。これはまことに凄絶な光景に見える話です。

立野　はい、おっしゃるとおりなんです。

前田　罌粟の花びらが落ちる場所に兵士たちの墓がある。

そのなかにはやはり毒ガス戦で亡くなった兵士たちも多数いると思うんですが。

立野　まさにそうです。

前田　そのあたりのことと文学とをつなげるというのは、立野さんとしても最初からその場ではつながっていたわけではない？　あとになってからつながったということですか。

立野　はい、そうなんです。これもわたしは自分の紀行で繰り返し言っておりますけれど、その瞬間、その場では分からない、気がつかない、ということが人間には少なからずあるんですね。あとになってようやく分かる。あとになってから、そうだったかと思い当たる。「ああ、あのときだったな」ということを、ずうっとあとになってから思い出すんです。なにもわたし一人にかぎったことではなく、そういう記憶の時間差といった作用を、どうも人間はまぬがれないんですね。

前田　そうなりますと、思い出したあとにもういちど現地に行かなくてはならなくなりますね。

立野　はい。ですからなんども同じ場所に足を運びました。夏だけではなくて真冬の十二月末にも行きました。

前田さんが言われるように、毒ガスが最初に使われたのはイーペル戦です。毒ガスのなかにイペリットガスがある。そのイペリットっていう言葉がイーペルから来ている。マスタードガスが使われて、あれは黄色い色をしています。というのも、透明だと分からないですよね、だから最初のうち兵士たちは「ガスだ！」と叫んで塹壕に駆け込んだ。ところがガスは重い気体ですから、塹壕のなかへもずうっと充満してくるでしょう。そのため塹壕に退避してかえってしたたか毒ガスを吸いこんでしまう兵士が少なくありませんでした。まず目をやられてものが見えなくなる。次に喉がただれ、気管支が溶解し、しまいには肺が崩れてしまう。これはじつに苦しい死に方だったそうです。そういうむごたらしい死に方を余儀なくされたのが第一次大戦です。まさにこの世の地獄としての現代戦が姿を現わしたのです。そこから広島の原爆まではもう一直線ですよね。

前田　広島の大久野島はまさに日本軍の毒ガス工場の島になります。大量の毒ガスが製造されて、中国戦で使われる。膨大な被害を生みましたが、日本軍敗戦により現地に投棄され、放置される。それが半世紀以上の歳月を経て、中国の人々をおびやかしている。大久野島で働いた労働者も毒ガスのために悲惨な病気に冒される。

立野　第一次大戦以後、あらゆることがもうめちゃくちゃですね、むかしは「戦争の作法」ってものがあった。

たとえばカール・フォン・クラウゼヴィッツの時代にはまだ戦争の作法というものがあった。クラウゼヴィッツはプロイセンの将軍でしたが、十九世紀前半、ナポレオン戦争の直後ですよね。『戦争論』という軍事戦略の書を出版しましたね。

しかしもはや戦争になると喧嘩と同じで、喧嘩は勝てばいいわけで、どんなに卑怯な手を使っても勝てばいい。スポーツのフェアプレイの精神。そんなものは戦争に通用しない。赤十字ができたり、ジュネーヴ条約がつくられるようになりますが、にもかかわらず、もう古典的な意味でのヒューマニズムが戦争から消え去った。それがイーペル戦のイペリットガスの使用でした。いわばこれが皮きりだったんですね。

前田　確かに、二十世紀になって非人道的な兵器を禁止しようという動きが登場することはしますが、実際には飛行船が飛行機になり、爆弾を空から落とす。毒ガスや生物兵器が登場し、さらに核兵器がつくられ、実際に広島に投下される。イーペルもヒロシマも非人道的な兵器の歴史に名を刻むことになりましたね。

『紀行　星の時間を旅して』

前田　次に『紀行　星の時間を旅して』というご著書のことですが、こちらは美術作品、美術館に焦点があたっているように思います。セガンティーニとターナーの名前が挙げられていますね。ターナーはイギリスですが、セガンティーニはイタリア生まれのオーストリア国籍で、実際にはスイスで活躍した。世紀末芸術の非常に複雑な面を持った画家だと思うのですが、立野さんはセガンティーニ美術館へは行かれましたか？

立野　はい。数回訪れています。

前田　そのあたりの話を少しお願いしましょう。

立野　スイスの南部のエンガディン地方にサンモリッツという町があります。標高が非常に高いところで、二〇〇〇メートル以上なのですが、サンモリッツ湖で夏はサーフィンもできますし、ヨットなんかで遊んでいる人たちも多い。ところが冬になると凍結して厚い氷が湖水に張り詰めてしまう。氷上をトラクターだのダンプだのが平気で渡ることができる。それぐらいの氷の厚さがあるんです。

そのサンモリッツの町のちょうど斜面になっている中腹ぐらいの位置に小さなドーム型の建物があって、これがセガンティーニ美術館です。セガンティーニが亡くなってから、友人たちがセガンティーニの最期の作品を中心に展示するためにつくった美術館なんです。これまでわたしは三回か四回、あるいはもっとそれ以上も足を運びましたが、行くたびに感銘を受けないではいられませんね。

前田　これまで四回か五回訪ねられたということですか。

立野　つまり、数年おきに訪ねていますし、ある年はひと冬のあいだサンモリッツに滞在して、そのあいだになんどもこの美術館を訪ねているので、正確に何回訪ねたとはちょっと言えないのです。

前田　なるほど。確か何回目かの訪問の際はドームの最上階の「生と死の三部作」のところにずうっと座っていらしたんじゃないですか？

立野　そうです。ほとんどまる一日美術館にいたことがありました。あそこは美術館をつくって絵を展示するとき、一日の時間の経過とともに三部作にそれぞれちゃんと陽の光が当たるように考えられています。ふつう、絵画に直射日光を当てると絵を破損させますから避けるわけですが、ここだけは特別なんです。直射日光が天井からガラス越しにはいってくる。一つだけ長椅子が置いてあるので、そこに長時間腰をおろして眺めていると、ずうっと日光が動いてゆくさまがまざまざと分かりますね。

前田　光が変わっていきますね。

立野　それもまたそのセガンティーニの自然観というか、あるいは芸術観というか、絵画自体にふさわしい配置になっている。腰をおろしてゆっくり時間をかけて眺めていると、それがよく分かりますね。

前田　ジョヴァンニ・セガンティーニ（一八五八～九九年）はイタリア生まれの画家ですが、アルプスの風景を描くためにスイス東南のグラウビュンデン地方に移住しました。サンモリッツ、マローヤ、シルスマリアなどを移動しながら、アルプスを描き続け、ポントレジーナで亡くなりましたね。

最後の作品で、代表作となったのが「生と死の三部作」とか「アルプス三部作」と呼ばれる「生」「自然」「死」ですね。パリで開催される博覧会に出展しようとしたのですが、完成直前に亡くなったわけです。その三部作がセガンティーニ美術館の最上階の一室に展示されている。その階に他の作品はありません。ここには三部作だけが置かれていますね。じつはわたしも二度ほど行きましたが、長椅子の真ん中に座って、居座り続けます。他の客が来ても席を譲らない（笑）。譲ると次に席が空くのがいつになるか分からない。

立野　セガンティーニほどアルプスの光をキャンバスの上に表現することに生涯独力で苦心して成功した画家はいないと言われていますね。非常に独特の画風というか技術を工夫しましたからね。たとえば印象派のシスレーなんかそうですけど、点描画って言うじゃないですか。セガンティーニの絵はそれが横の直線なんですね。短い直線です。ですから点描画ではなく線描画ですね。原色を何本も何本も塗り重ねてゆく。そうすると真っ白いアルプスの雪をかぶった山脈、尾根が絵のなかに見えますが、その白さがただの白さではない。近づいてよく見るとその白と白のあいだにグリーンだったり赤だったり原色が織り込まれている。だからその白さはじつはさまざまな色を含んだ白さなんですね。ただし画集ではもとより、実際に絵の前に立っても、離れて見ていますとそれとすぐには分かりません。アルプスの光をよく見て、よく知り、よく研究した画家が、自分で発明した非常に独特の表現法なんですね。倉敷の美術館にもセガンティーニのアルプスの絵が一点常設されていますが、それと知らずにわたしがある年に出かけて行ったときも、その一枚の発色が他を圧倒するほど鮮やかに光り輝いていたという記憶があります。

前田　セガンティーニの初期の作品では線描法は使われていませんよね。グラウビュンデンに移住したあと、アルプスを描くなかで開発した技法ですね。

立野　印象派の運動でもこういう技法は生み出されませんでした。アルフレッド・シスレーやジョルジュ・スーラが点描法を駆使しましたし、他の画家たちも点描法を使っています。点が少しは横長になっているものもありますが、セガンティーニのように線になっている例は見られませんね。けれども、これに近いのをもう一人挙げるとするとターナーなんです。

前田　イギリスのウィリアム・ターナー（一七七五〜一八五一年）ですね。

立野　そうです。ターナーはロマン主義の画家と言われますね。ターナーはイタリアへ行って初めてイギリスとまるでちがう気候、天候というものをまのあたりにして感動させられた。その経験から、どうやったらイタリアの光を表現することができるかを深く追求した。おのずからそれがロマン主義からの脱却につながって行ったと言えます。

前田　当時の西欧の画家たちはイタリア修業に行きますね。イタリアこそ西洋美術の中心だから、古典を学びに行かなくてはならない。ところがアルプスの北と南では光がちがう。オランダにしても、フランスにしても、ドイツにしても、北から出かけた画家たちはイタリアの南の光に圧倒される。そこで画風が変わっていかざるを得なくなる。

立野　ターナーは自分の名声をかなぐり捨てても、イタリアの光をとらえるために、新しい技法に挑むしかなくなったんですね。ターナーは老いたとか、ターナーは目がわるくなったからあんな絵を描くんだとか言われながら、実験に実験を重ねて、とうとうターナー独特の黄金の光を発明した。それが最も典型的に現われているのが『金枝』という絵なんです。

前田　ジェームズ・フレイザーの『金枝篇』の口絵としても使われているターナーの『金枝』（一八三四年）は、ロンドンのテート・ブリテン美術館に付設されたターナー専門のクロア・ギャラリーにありますね。

立野　ターナーは一八一九年、四十歳くらいのときにイタリアを訪れ、のちに再訪していますが、画風が次第に変化していきます。『金枝篇』にふさわしい技法という面もあったでしょうが、イタリアの光を描くための技法によって、風景がいわば輪郭をあいまいにされ、抽象的な表現によって描かれるようになります。のちにターナーはスコットランドのトゥイード河畔に立つノラム城を描きますが、若いころも描いていました。当時はかなり写実主義的に描いていました。ところが生涯を懸けて描いていたノラム城連作の最後の一枚などを見ると、城も河畔で水を飲んでいる牛ももはやほとんど輪郭も不分明です。ただ光が遍満している。イタリア経験がなかったら、あのような抽象度の高い表現にいたりつくことはなかったでしょうね。

前田　セガンティーニに話を戻しますと、日本人にはセガンティーニ・ファンが非常に多いと思います。フェルメールと並ぶ超人気画家ですね。わたしもサンモリッツで見てきたんですけれども、ちょうど五年ほど前に東京・新宿にきましたね。わたしはそのときも見に行きましたけれど、やっぱり線描法と光と影です。全体のテーマは光と影、プラス人生そのもの。生成、存在、消滅というあの三部作になると思うのですが、そのテーマと技法とあの場所ですよね。

立野　はい、セガンティーニもターナーも、光をキャンバスに乗せていったというか、その場所の空気、風、光を描き出すために独自の技法を編み出す必要があったのだと思います。

前田　あの風土でなければ描かれることのない、そういう作品のなかに、全世界の人々の生命・存在を描こうという、そういう意欲的な作品だったと思います。

『スクリーンのなかへの旅』

前田　次は今回の著作、『スクリーンのなかへの旅』です。こちらはもっぱら映画が取り上げられていますね。四十八本の映画についてのさまざまなエッセイや映画評などを集められたものです。カバーに使われている写真「ロランの切り通し」のお話をまずはお願いします。

立野　この『スクリーンのなかへの旅』の表紙に使いました写真は、二〇〇四年八月に撮影したものです。けれども、じつはそれよりさきにわたしは二〇〇〇年五月にもピレネーを目指して出かけているんです。

ところがそのときわたしには思い込みがありました。ロランの切り通しのロランというのは、フランスの叙事詩『ロランの歌』で有名な英雄なんです。シャルルマーニュ大帝の甥にあたる。シャルルマーニュがキリスト教擁護という名目でイスラム軍と戦うためにピレネー山脈を越えてスペイン遠征をする。その遠征の帰途、フランスへ戻る途中、ピレネーを越える際に、軍のしんがりを務めていたロランの部隊が待ち伏せに遭って、激戦の末ここで果てた。深手を負ったロランがその絶命間際に、愛剣デュランを振りかぶって断崖に切りつけたところ、そこにぱっくりと裂けめができた。それがロランの切り通しといってこの写真なんですよ。

ところがわたしは切り通しがあるのはロラン終焉の地に立つ記念碑、つまりビスケー湾に近いロンセスバリエスのイバニェッタ峠にある追悼記念碑が建っているすぐそばだとばかり思いこんでいた。ですからそこへ行ってあたりをしきりに探し回りました。ところが全然断崖なんかない。そのときの旅は旅程が詰まっていて、目的地がサンティアゴ・デ・コンポステーラ、世界三大聖地の一つでしたからあきらめて西に向かいました。

前田　スペインですね？

立野　はい。旅程の制限から日数をかけて切り通しを探すことができず、残念ながらその旅ではあきらめました。二回目にピレネーに出かけたときは多少は調べて行ったんです。現地でも書店で写真集をひらいて場所を示しておしえてもらった。それでもこのときも失敗しました。というのは、わたしが調べたり聞いたりした地点よりも、実際にはさらに二〇〇キロぐらい南のほうの位置だったんですね。それで、ほんとうに現地まで行くことができたのはさらに二年後の二〇〇四年の夏だったんです。すなわち二〇〇〇年、二〇〇二年、二〇〇四年と、三度目の正直というわけでこの写真を撮ることができました。

前田　そもそもなぜピレネーの切り通しにそこまで執着されたのか。それもやはりいきさつがあってのことでしょう。

立野　そのとおりです。だが、かならずしも叙事詩の英雄に心を魅かれたからではなかったんです。本の冒頭に取り上げて書いておりますけれど、アメリカの映画監督でフレッド・ジンネマン（一九〇七～九七年）がいますね。日本で最もよく知られている作品の一つは、『真昼の決闘』（一九五二年）——あのゲーリー・クーパー主演の西部劇ですね。そのほかにもトマス・モアを主人公にした『わが命尽きるとも』（一九六六年）とか、あるいは女性劇作家のリリアン・ヘルマンを主人公にした『ジュリア』（一九七七年）とか、とにかくつまらない作品は一つもない。それなのに当たらなかった作品は少なくないのです。そういう作品の一つが——。

前田　はずれがないのに当たらなかった作品というのは、作品としての質は高いけれども、大衆的な人気はなかったという意味ですね。

立野　そうなんです。芸術的作品というふうに批評家連中からみなされてしまい、それを真に受けた観客に敬遠されてしまった。アメリカの大衆は芸術作品には興味がないので。いや、アメリカ人に対する偏見から言っているわけではないですよ（笑）。

前田　いまのはりっぱに偏見の表明ですよ（笑）。

立野　同僚に映画好きのアメリカ人がいて、かれがわたしに言ったことの受け売りなんです。そのアメリカ人もジンネマンのファンでしたから、われわれはよくジンネマン映画について語り合った。アメリカ人の批評家がうっかり「芸術作品であるが大衆的かどうかは疑問が残る」というふうに書いたもんだから、大衆はこの映画を芸術作品だと思い込んで見に行かなかったと同僚が言ったんです。確かにそれはのちに読んだジンネマン自身の自伝にも書かれている。だからいま「立野の偏見」と指摘がありましたが、それはジンネマンの「偏見」であって、わたしはただ同僚と監督自身の言葉を引用しただけなんです（笑）。

前田　それは失礼しました（笑）。

立野　この映画のアメリカでの公開は『蒼ざめた馬を見よ』というタイトルでした。ところが日本語のタイトルがちょっと異様というか変わっていますね。『日曜日には鼠を殺せ』（一九六四年）というんです。こんなタイトルで日本で公開したら当たるはずがない。日曜日にネズミを殺す映画なんか誰が見に行くもんか、てなものでしょう。

前田　でも農家だったら日曜日しかネズミを殺しちゃいけないのは困ります。毎日殺したい（笑）。だめですか、そういうの？

立野　長靴をはいた猫にでも任せることにしなくては。

タイトルは奇妙なんですが、じつはこの映画は原作があります。それが直訳すると『日曜日には鼠を殺せ』となるんです。原作を書いた人も映画監督ですが、同時に脚本家でもある。マイケル・パウエルとコンビを組んでいたエメリック・プレスバーガーがその人です。『赤い靴』『シュペー号の最後』『黒水仙』などの名作がありますね。

そのプレスバーガーが小説を初めて書いたところベストセラーになった。それをジンネマンがひと晩で読んでぜひ映画にしたいと思った。脚本を原作者に頼んだ。ところが脚本家だからといって自分の小説を脚本にするとうまくいくかというと、それがそうではなかったんです。別の脚本家にジンネマンは依頼し直した。そんな経緯がジンネマンとプレスバーガーの双方の自伝に書いてあります。くらべてみると小説よりも確かに映画のほうが素晴らしい。

前田　やはりジンネマンらしい骨ぶとの映画になっているということですね。

立野　主演はグレゴリー・ペック（一九一六〜二〇〇三年）です。あの『ローマの休日』（一九五三年、ウィリアム・ワイラー監督）はみなさんもご存じですよね。ペックはこの役をやりたいために、わざわざ腹を膨らませて中年腹にした。無精ひげを生やした。全然二枚目じゃないんです。

つまり『ローマの休日』のペックががらりと役柄を変えて、初老の、人生に見切りをつけて自堕落な生活を送っているような人物を演じてみたいと思っていた。そういう矢先だったのでジンネマン監督に頼み込んで出演することになりました。

主人公はバスク出身のアンチファシストで英雄だったが、スペイン戦争でフランコ軍に負け、フランス側のポーという山裾の町に亡命して暮らしている。亡命生活を送ってもう二十年も経っているんです。二十年経つうちに中年腹になった。若いころはさかんにピレネーの国境を越えて侵入し、スペイン北部のパンプローナを中心にゲリラ活動もやっていたのがだんだん出不精になって、近ごろワインばかり飲んで、タバコばかりふかして、昼間から一日中ベッドに寝っ転がっている。

前田　失われた英雄というわけですね。

立野　ええ。自分を見失ってしまったこの中年男が、いかにして再起をはかることができるか、どうやって自分の魂をよみがえらせられるか、という話なんです。

ですからわたしの最初の思い込みでは、最後にスペインのパンプローナへ侵入する決心をしてピレネーを越えるときには、最短距離を行くはずだった。その途中にあの切り通しになった断崖があるならバスク寄りの地域にちがいない、とそういう思い込みがあったのです。ところが二度行っても分からず、三度目でようやく分かったんですが、切り通しはずいぶん南のほうにあった。有名な滝のあるガヴァルニ圏谷のちょうど肩のあたりなんです。そこまで南へ迂回してからスペインへはいっている。

本人はポーの町から出発する。それなのになんでわざわざこんな迂回路を通るのか。迅速に国境を越えなくてはならないのにどうして。迂回するのはいったいなんのためだろう？　その謎を解きたいと思って映画を何回も見ました。

映画のなかに本のカバーに使ったこの写真と同じ場所が出てくるのです。この切り通しが出てくる。原作にはない場面なんですね。それは映画として印象的な映像となるから画面にはめ込んだまでのことで、地理的に迂回ルートになるということは物語と関係ない、とあっさり言ってのける人も少なくないのです。現に映画を見た知友はみなそう言いましたからね。かれらの言うとおりかもしれません。

しかしわたしはそう思わない人間なのです。監督が主人公にここを通らせたかったのは原作とは異なる理由がある。わたしの深読みかもしれないがそう思いました。人はさもあらばあれ、自分はスクリーンのなかへ向かって自分の旅をするのであると思っていました。というわけで、繰り返し出かけて三回目の正直で出かけたとき、ようやく腑に落ちた気がしました。いや、わたしが勝手にそう思ったと、いっそ言ってもかまわない。ただ、自分の旅をしたという気になったことは確かですね。

とにかく、切り通しの下にあるガヴァルニの谷間の村に滞在しているうちに分かったことです。その切り通しは、かつて中世のころ、ヨーロッパから巡礼がサンティアゴ・デ・コンポステーラをめざしてわざわざ通って行ったルートの一つだったのです。ピレネー越えの巡礼路のなかでも格別に足場の悪い難所だったんです。

前田　わざわざむかしの巡礼路を主人公はとおって行かなくてはならなかったというわけですか。

立野　そう思うのはほかならぬこのわたしなのです。巡礼というのはキリストの生涯を巡礼路を歩くことによっていわばなぞらえるわけですね。ですから象徴的にキリストの受難の人生を歩くことになる。難所を行くことがまさに巡礼の道なんです。楽に行ける道は巡礼の道ではない。ですから主人公がスペインへ命を懸けて潜入していくときに、あたかも巡礼のような魂を心のどこかで意識していたか、いやかならずしも意識していなくてもかまわないのですが、とにかくそこを通ったということが、巡礼の道を自分の意思で選んだことになるわけです。

ガヴァルニ村はこの切り通しのすぐふもとにある。滞在中のある日、絵葉書でも買おうと思って一軒の店にはいっていったところ、きれいな絵葉書のなかに一枚だけほかと絵柄の異なる絵葉書があるのに気がつきました。中世の衣を着た巡礼が歩いている絵葉書だった。なんでこの村に巡礼の絵葉書が売られているのだろう。

その日、宿に帰って宿の奥さんと雑談のついでにその話をしたところ、「ここはむかしは巡礼が通ったんです」とおしえられました。それで映画のなかにこの切り通しが出てくるのは監督の隠された意図というか、かつて巡礼が通った道を主人公にあえてたどらせるためだったということが、わたしの腑に落ちたわけです。

という次第で、拙著『スクリーンのなかへの旅』のカバー写真としてそれを掲げて、巻頭の一文に映画『日曜日には鼠を殺せ』をわたしは取り上げました。さらに「あとがき」で、三度の旅の三度目にここへたどり着いた経緯をかなり詳しく書きました。わたしがいちばん好きな映画監督フレッド・ジンネマンの作品のなかでも、この映画が最も思い出深い一本となったのはそういういきさつからなのです。


前田　なるほど、そういう経緯があったのですか。そうすると、まさにご著書の初めと終わりをピレネー巡礼の旅でくくってあるということにもなるわけですね。分かりました。

さて、立野さんのご著書三部作について少しずつ、ほんとうにさわりだけお話しいただきましたけれども、この四半世紀ですね、ずうっとそういう文学の旅を立野さん流に発展させてこられたわけです。

そのつどのテーマというだけではなくて、全体の流れを意識しながら訪問地を定めて旅をしてこられたことも分かりました。そういうスタイル、小説家で言えば文体にあたると思うんですが、立野さんの文学におけるスタイルみたいなものも、旅を通じてだんだん確立していったように思われますが、そのあたりはいかがですか?

立野　さきほど申し上げたように、このスタイルが、スタイルという用語で差し支えなければですけれども、あのベルギーへの旅、ないしフランドルへの旅ですね。赤い罌粟の花を見るつもりで行ったところが白い墓標に遭遇してしまい、そしてその両方が一つになる瞬間を偶然見てしまったことが動機となって、自分のそれまでやってきた英文学者のはしくれとしての経歴が、いちどご破算になってしまった。そこからもういちど発想をし直すことを余儀なくされたのだったと思っています。

ですからフランドルでの経験を、あとになっていろいろと反芻して考えて、それから自分の書くものが変わった。いわゆる学界や学会向けの文章ではなく、一般読者向けの文章になっていったのだと思います。そのなかで、最も自分らしさが出せるとすればこれだな、と思われたのは書簡のスタイルだったのです。読者をいわば手紙を書く相手に見立てて語りかけてゆくというスタイルですね。

現地におもむいたことのない読者――自分は行ったけれども読者はまだ行ったことがない、とそういう読者に向けて、あたかも読者が自分もその場所に旅をしているかのように感じてもらいたい。それでヴィジュアルに、つまり映像的に書くとか、具体的に書くとか、なにしろことさらむずかしい言い回しは避ける。抽象的な概念用語をなるべく使わない。そういうスタイルが自分のなかで自覚されたのが、一九九二年七月の初めだったと申せますね。以降十冊ほどわたしは著書を出してきましたが、すべてはあのフランドルへ旅したときから始まったと自分では思っているわけです。

前田　学会向けではなく一般向けということですけど、フォースターを論じられた『洞窟の反響』なんかはむしろ学会向けの文章でもあったんじゃないですか？

立野　『洞窟の反響』は二十代から三十代にかけて書いたものが主ですから、そのころは探求の意識はあっても、それをまだ自分の旅の隠喩としてとらえるだけの自覚には達していませんでしたね。

前田　ずっと前に書いたものをまとめられた。しかしのちに旅として表象される探求という動機は、無意識ながらすでにあったのですね。

立野　そう思いますね。

前田　そうすると『精神のたたかい』から始まって、今回の『スクリーンのなかへの旅』。「旅の彩流社三部作」と仮に呼びますが、それ以外も含めてスタイルとしてはおおむね同じスタイルを貫いてこられたということになりますか。

立野　おおざっぱに申しますと、そういうことになりましょうね。

前田　墓地や墓石の探求の旅、それから墓碑銘や記念碑、さまざまな時代の戦跡や史跡などにいたるまで、じつにいろいろなものや場所や風景を訪問されてきたわけですが、それらを総合しながらさらにその延長というか、プラスアルファの面もあると思います。

そういう意味を込めて最近使われているのが「『聖地』への旅」という概念ではないですか。それまでと重なるけれどもちがいもまたそこにはあるかと思いますので、そのあたりのことと、それから今村昌平監督の『黒い雨』ですね、原作の井伏鱒二のほうの話も含めてお願いします。

「聖地」への旅の意味

立野　「聖地」というのは、講座を立ち上げるときに考えたかっこ付きの言葉なのです。わたしは明治大学をことし（二〇一七年）三月をもって退職しましたが、かれこれ七、八年ぐらい前から授業や講義とは別に、明治大学に付設されたリバティアカデミーというところで市民向けの講座を担当してきました。その講座の企画書を出したとき、一回目は承認されませんでした。一回目の提案書はフランドルを中心にして、第一次大戦、第二次大戦の戦地めぐり、戦跡めぐりをする講座として考えていたんです。

翌年少し考えまして、「聖地」という概念でくくったらどうだろう、と。かならずしも戦跡めぐりとはせず、これまで旅をして心に残った場所や風景、これらを自分にとっての「聖地」と仮に考える。通常のキリスト教世界三大聖地の聖地をわたしが「聖地」と呼ぶのではなくて、個人である立野にとっての心の旅のなかで出会った風景や場所——これをわたしにとってのひそかなる「聖地」とみなすことにしたのです。

非常にパーソナルな、個人主義的な「聖地」という要素が強い。ですから、わがまま勝手なんですけれども、企画書をそのつもりで書いて出したところ、承認されたのです。それ以降かっこ付きで「聖地」としてきました。

前田　かっこ付きの「聖地」ですね。

立野　そうです。というのは、受講者の方たちのなかに、わたしがフランドルの戦跡の話、あるいは文学で、詩や小説で描かれた風景なんかの話もするものですから、「かならずしも通常の意味での聖地とは言えないようだけれども、先生にとっての聖地ってなんですか？」という質問をしばしば受けるんです。立野の言う聖地の定義が知りたいということですね。そこでわたしはこうお応えする。

「聖地というのは人それぞれの心のなかにある。もはや観光地となっているような伝統的な意味での聖地をめぐる旅もあるでしょうが、わたしにとってはいま現在わたしの心のなかに生きている「聖地」が重要です。すなわち心の聖地、それがわたしの言う聖地です。」

ざっとこんなふうに申しますと、納得なさる方もおられますけど、詭弁を弄していると思われる方は当然ながら納得がいかない。そういう人は次回からの講座にはもう参加されませんね。何度も足を運んでくださる方は、いちおう立野の考え方に関心ないし共感というか共鳴を持っていただいて、「そうですよね、聖地というのはなによりも心のなかの場所ですよね」――と、わたしが申していることを了解してくださる方はなんども足を運んでくださいます。

前田 このかっこ付きの「聖地」ですけれども、これはやはりサンクチュアリとみなしてもよろしいんですか？

立野 サンクチュアリともセイクリッド・プレイスとも。最近読んでいた本のなかでスコットランド出身の詩人で、ロバート・バーンズっていう詩人について書いてあったんです。あの「蛍の光」の原曲になった「オールド・ラング・ザイン」という詩を書いた詩人ですけれども、そのバーンズに「わが聖地、心の聖地」という詩があるとその本に書いてある。しかしわたしの知るかぎり、バーンズにそんな詩はない。そこで原詩を見てみると、その聖地という日本語訳を当てている元の語がハイランドとなっているんです。スコットランドのハイランド地方です。

前田 ハイランド地方？ スコッチ・ウィスキーのハイランドですか。スコットランドの北の高原地方ですね。

立野 ええ。スコットランド人のバーンズにとって、ハイランドは聖地なのだ、と。この翻訳をした人は執行草舟という人ですが、本業は実業家であって学者ではない。しかし詩を読んで、読んで、読み抜いて、あのハイランド地方はバーンズにとってはまさに心の聖地だったんだと得心が行った。だったら堂々と聖地と日本語で書こうと執行さんは思われた。

ふつうの学者ならばこういう発想はしませんよね。学者がこういうことをやったら「誤訳」として叩かれるんです。学会での評価が下がる。ところが文学は学会にあるのではない。英文学会にも日本文学会にも、学会というところに文学は不在です。文学は常に人々の心のなかにこそある。ですからわたしはバーンズの「ハイランド」を「聖地」と執行さんが訳されたのはじつに名訳だと思ったのです。ハイランド、聖地、わたしのなかでそれは等号でつながりました。まさにわたしの言いたい「聖地」というもののイメージが、その詩を読む読み方、のみならず訳し方のなかにみごとにとらえられています。

前田 なるほど。そうするとハイランドであろうとなかろうと、それぞれの人の人生のなかで最も重要な場所とか、最も大切な出会いのあった場所とか、それぞれにさまざまな固有名詞があるけれども、そこにルビとして聖地とかサンクチュアリと振ってもよい、ということになりますか。

立野　そうですね。一〇〇人いれば一〇〇の聖地があると申してもいいわけです。

前田　そうすると、立野さんにとっての「聖地」である「切り通し」ですが、切り通しはもちろん世界各地にあるわけですよね。わたしは『スクリーンのなかへの旅』のカバーの切り通しの写真を見て、同じような切り通しをこれまでの自分の旅から連想し、想起させられました。

わたし自身が旅先で出会った一つの切り通しがありまして、その写真をきょう持ってきて、さきほど立野さんにもごらんに入れたんですが、数年前にアフガニスタンに行きました。そのときに仲間とつくった写真集『アフガニスタンの戦争犯罪』（耕文社）に掲載された写真です。

9・11のあと、戦争中のアフガニスタンを四回訪問しました。そのなかでカブールの北にクンドゥズという古都があり、さらにその西にマザリシャリフという街があります。マザリシャリフにはものすごく素敵なブルーモスクがあります。イスタンブールのブルーモスクも素晴らしいですが、マザリシャリフのブルーモスクの素晴らしさは命がけで見に行くだけの価値があると言ってもいいくらいですね。

立野　おお、そうですか。覚えておきましょう。

前田　クンドゥズからマザリシャリフに行く途中に切り通しがあるんです。そこがものすごいところだ。わたしはロランの切り通しを拝見したときにすぐに思い浮かべて、わたしが行ったのも似たようなところだったな、と。ここにどんな伝説があるのかまでは調べなかったので分からなかったのですが、かつてのロシア、イギリスがアフガニスタンをめぐる戦争をおこなったとき、あるいは第一次、第二次のアフガニスタン戦争のとき、それから近年で言うといわゆる北部同盟があってタリバーンと戦うなど、そういうときにサロン峠、シーバー峠とか、この切り通しが焦点——つまり戦いの焦点になるんですね。ここを押さえれば向こうに行けませんから、ご本の表紙を見ながら、ああ、そういう場所なのだな、と思い出しながら考えていました。

立野　なるほど、難所であればあるほど宗教的な意味合いでは「聖地への道」になりますし、戦争となればその地点がのっぴきならない決戦場になるのも当然ですね。

『黒い雨』と一瞬のお辞儀

前田　次に『黒い雨』についてお願いいたします。

立野　井伏鱒二（一八九八～一九九三年）の小説『黒い雨』（一九六六年単行本）は、原爆を投下されたあと、言ってみれば二次被害と言いましょうか、放射能を浴びたために戦後の日常生活のなかで差別を受ける。人々から「原爆」と呼ばれるわけです。主人公の女性は結婚話が起こっても、「原爆」と周りの人たちから言われて全部破談になってしまいます。彼女を育てている叔父がどうしても姪をどこかに嫁がせてやりたい。そこで一生懸命奔走するんですけれども、だんだん放射能被害が現われてくる。たとえばくしけずると髪が抜ける。叔父夫婦も原爆被害を受けている点では同じなんです。けれども奇跡を信じて毎日奔走する。

そういう物語ですがこれが映画化されました。映画は一九八九年です。監督は今村昌平（一九二六～二〇〇六年）で、第十三回日本アカデミー賞最優秀作品賞を始め数多くの部門で受賞しました。さらにカンヌ映画祭でグランプリを受賞しています。正確に言うと、第四十二回カンヌ国際映画祭高等技術委員会グランプリ受賞です。ところが日本では、閑古鳥が鳴くぐらい劇場ががらがらで、客がほとんどはいりませんでした。

前田　主演が田中好子だったので、元キャンディーズ・ファンの男性たちはけっこう見に行ったと思うんですけどね。

立野　ああ、なるほど。田中好子のファンはそうでしょうね。わたしはキャンディーズをよく知らないのですが、演技者としての田中好子は素晴らしかった。それから叔父を演じた北村和夫ですね。じつによかった。それからほかの演技者たちも素晴らしかった。

前田　叔母は市原悦子ですか。脇を固めたのは沢たまき、小沢昭一、三木のり平、楠トシエらですね。音楽は武満徹でしょう。

立野　わたしがこの映画を取り上げたのはストーリー全体ではなくて、ほんの一場面だったんです。原爆が投下されるその日、いつものように叔父が自分の勤め先へ出かける。電車に乗るため急ぎ足で駅へ向かうんです。近道を通る。途中に神社がある。神社には鳥居がありましょう。この鳥居の前で叔父が一瞬立ち止まってお辞儀をする。それから境内を通る。これが駅への近道なんです。わたしはこの場面に非常に感動しました。そして原作を読み直したんです。

ところが原作には書いてない。今村監督が自分の映画を撮るにあたって、主人公にここで一瞬お辞儀をさせているわけです。ほんとにさりげないが素晴らしい場面です。これこそ日本人の魂が一瞬描かれた、というふうに思ったぐらいわたしは感銘を受けましたね。

映画で、アメリカが原爆実験をやっているとラジオで報じられる。そうすると主人公つまりこの叔父が、「また懲りもせずやっとる」とつぶやく。時代背景がそういう時代なんですね。だけど北村和夫が演じたこの人物が、あの原爆投下の日、駅へ急いで向かうのに一瞬立ち止まってお辞儀する。その主人公の心のなかには信仰があります。なに信仰、なに教であるかは分からないし、分からなくてもいい。ただ心のなかになにかに対する畏敬の念がある。人智を超えたなにものかに対する畏敬の念です。その畏敬の念があればこそ、神社・境内へはいる前に鳥居のところでちょっと立ち止まってお辞儀をするというかたちで暗示される。キリスト教ではヨーロッパを旅するたびにいたるところで見かける風景です。ここであえて一例を挙げて言いますと、クレタ島でわたしが経験したことです。

前田　エーゲ海の、ギリシアのクレタ島ですか。

立野　そうです。エーゲ海のクレタ島の中央にイラクリオという首都があるんですが、そこからずうっと東のはずれにゆくとカト・ザクロという遺跡があります。イラクリオからそこまでバスで片道四時間かかるんです。

バスにはほとんどほかにお客さんが乗っていない。運転手と車掌とわたしとでしょっちゅうしゃべっていました。もともとそんなに蛇行するような道じゃないですから、そんなには事故なんか起こらないでしょうけど、それでも「これ大丈夫かよ」などと少なからず思っておりました。というのも道路の脇をよく荷馬車がとことこ走っている。そこをバスがすり抜けるようにしてずうっと行くわけです。すると前方にめったにないがカーブがある。ちょうど曲がり角に小さな灯籠のような堂が据えられてあります。小さなお灯明を燃やす堂ですね。そのなかには聖母マリア像がはいっている。そうすると、どんなにおしゃべりしていても、一瞬、運転手も車掌も胸に十字を切るんです。なるほど習慣とはいえ、こういうところになにか人々の心のありようが一瞬目撃される。そう思って記憶に残りました。

日本人のわれわれからすれば、神社とか、お寺とか、前を通ったときにちょっと頭を下げるとか、手を合わせるとか、お年寄りはいまでもやっていますけど、もうわたしの世代ぐらいになってくるとそれをやらない。いまどきはもうすっかり不信心になってしまっている。でも映画のなかでは、フィクションにもかかわらず、原作にないその場面をほんの一瞬、演出家が俳優に仕草としてさせている。ここにわたしは日本人にとっての魂にまだしも救いがあるような感じがして、忘れがたい一瞬と思われたのです。それで、「一瞬のお辞儀」というエッセイを書いたんです。

前田　わたしも思い出しました。映画で『黒い雨』を見たのは新宿だったと思うんですが、今村監督のトークがありました。さいわいなことに、たまたま行ったときに、上映直前に今村監督がお話しされたのです。それでおっしゃっていたのが、映画をつくる企画段階でスポンサーがまったくつかなかった。そのためものすごい苦労をしたということでした。今村監督ほどの大監督でも、映画づくりの準備段階でまったくスポンサーがつかない。やはり原爆の後遺症と差別の問題をあつかったテーマゆえということだったようです。いま『黒い雨』の放射能被曝の話が出て、一瞬のお辞儀の話をしていただきましたけれども、いまこれを話題にするということはやはりフクシマのことを誰もが思いながら考えていられると思うんですけれども、フクシマの被曝と差別の問題と、その二つのことを立野さんはどんなふうにごらんになっていますか？

立野　わたしが昨年ぐらいから、メールによる文通をある方とさせていただいて、その方はもともとはスペイン哲学・スペイン思想の専門家で、オルテガとかウナムーノの翻訳をされている佐々木孝という方ですが、NHKの宗教番組にもなんどか出演されている人ですから、ご存じの方もおありかと思います。その佐々木さんは福島の南相馬にお住まいになっている方です。フクシマのことをめぐってなんどもメールでの文通をしていますが、わたしのこの本を購入してくださって、ざあっと目を通して心に残るのは『黒い雨』のくだりです、とおっしゃってくださった。

前田　その方のことをもう少し。

立野　佐々木さんは福島に居住しておられるのですが、奥様が認知症で完全介護が必要な状態なのです。ですから寝たきりの夫人をおいて半径一キロ以上に出歩くことはできない。原発事故のときに退避命令、退避勧告が出たけれども、自分の家内がもしこの家から離れたらもっと病状が悪化する。そのため死んでしまうかもしれない。だから退避勧告を拒否して自宅にとどまった。そのことでとやこう言う人々もあった。いわゆる同調圧力ですね。それでも意に介さず、現在もなおご自宅にとどまり続けておられる。いっぽう、退避勧告が解除されても人々はもうほとんど帰ってこない。

そういう日常をずうっと送ってこられている方ですけど、わたしの本を読んでくださっていちばん心に残ったのはあの『黒い雨』についてのエッセイだ、と言ってくださったんです。あれは映画論というより、立野が映画を見て、そこで心に残った場面なりモチーフなりに焦点を定めて自分の言葉で語り直そうとしている。「あなたの映画エッセイのなかで、あの一文が自分にとっては非常に心に残った」と。

なぜならそれは、いま自分が現在もブログを通じて発信し続けていることとも対応して、あの核というもの、それから原子力というものを通じて、なにものかへの畏怖の念を喪失してしまった人間というものを逆に思い起こさせるからであり、人間たるもの、絶対に手を触れてはいけない禁断の領域に踏み込んだことの当然の結果が現実に目の前にあり、その結果と現実をわれわれ現代人はいままさに生きているのだということを想起させる、とおっしゃっています。

ですから佐々木さんとわたしが意見が一致するのもまさにそこのところで、核兵器には世界じゅうこぞって反対するが「原子力の平和利用」に関して反対と言い切る人がまだまだ少なすぎるということですね。とくに日本では原子力の平和利用というものは核兵器とは全然ちがうものだと思い込んでいる人がいる。しかし、いったん事故が起これぱこれを制御する技術はいまの人類にはない。地球上のどこにもこの事故を制御する技術を開発した国はない。今後もないだろう。だから人間が触れてはならない禁断の領域へ触れてしまった。その近代の科学技術発展の帰結がフクシマの今日である。それからその当時は二十五年前、四分の一世紀前のチェルノブイリ原発事故があったにもかかわらず、あの事故から教訓を学んでいない。そういうことをたがいのメールで繰り返し繰り返し伝え合っているわけです。

旅と彷徨のあいだ

前田　もう一つお聞きしたいのは、われわれはメルトダウンの時代を生きているわけですが、旅ではないけれども旅を強制されている無数の人たちが世界に存在することについてです。現代はメルトダウンの時代であるいっぽうで、同時にテロと内戦と難民の時代なんですね。いまはある意味でこれほど旅が楽な時代はないわけです。遠隔交通手段が極度に発展していますから。

しかし別の観点からすれば、たぶんこれほど旅が困難な時代もないのではないか。そういう印象をわたしは持っています。いまや世界じゅうどこへでも誰でもが行ける、そういうある意味では非常に容易に旅ができる時代であって、もう特定の人がどこかへ行って書いている旅の日記やエッセイを読まずとも誰でも行ける。なおかつ現地へ行かなくとも、インターネットやメディアを通じて世界じゅうどこへでも行ったことがあるかのように思える時代でもあるわけですね。

それでいて、そういう時代に、残念なことにテロ、内戦、難民ということで、旅をしたくないのに旅へと追い出されてしまう人々もいる。こういう時代に文学者として、旅と文学を語ることのむずかしさというのもいっぽうに出てくるのではないか。ちょっと抽象的な問いで申しわけないんですけども、こういう言い方をしたときに、立野さんとしてはどういうふうにお考えになりますか？

立野　そうですね。むずかしいですけれども、いま思い出すのは、わたしが外国へ旅を最初にしたのは四十五歳のときでしたがその当時のことです。大学から一年間在外研究を許可するから行って来ていい、と言われまして、わたしはイギリス文学が専門ということになっていますから教授会で承認を得てイギリスへ行ったわけです。ロンドンへ行ったんです。まだ長期滞在をするために宿を決める前でしたが、取りあえずケンジントン公園の近くの宿代があまり高くないホテルに泊まっていました。

図書館のパスを発行してもらうためにロンドン大学へ出かけて二日目だったと思うんですけれども、地下鉄へ乗ったところ、いきなり駅員から「出ろ」と言われ、アナウンスでも「地下鉄から出なさい」と言われたんです。駅員たちが血相を変えて、背中を突き飛ばすようにして、乗客をホームから地上へ押し上げている。なにがなんだか分からない。「なにがあったんですか、どうしたんですか」と周りの乗客に訊くと、「きょうもテロだ。爆弾テロだ」「予告があった」と口々に言う。つまり一九九二年の時点ではまだＩＲＡが過激行動をしていたわけです。

前田　アイルランド共和軍（ＩＲＡ）ですね。

立野　はい。わたしはその後もなんどもイギリスへ行きましたけれど、三回目か四回目の旅のときのことですが、荷物が多かったのでヒースロー空港から車に乗ったんです。町へはいるまでのあいだ運転手さんとあれこれ話をしていた。すると、「いやぁ、つい三日前もロンドンの大きな百貨店で爆発事故が起こって四歳の子どもが即死した。じつに痛ましい出来事があったばかりだ」という事件のことを聞かされました。「しょっちゅうあることなんですか」と訊いたら、「毎日あるわけじゃないけれども、たびたびある。かならず何人か罪のない市民が犠牲になる。なんていう世の中だ」と言って、運転手さんはハンドルをバーンと両手で叩いた。そういう記憶があるんです。

前田さんの今回出されたご著書『旅する平和学』に世界地図が掲載されていますが、ずいぶん紛争地へお出かけになっているんですね。驚くべき行動力です。わたしの旅とはくらべものにならないぐらい危険な地域へ、日常的にテロや内戦が起きているところにも出かけておられる。ご質問にはわたしが答えるべきではなくて、逆にわたしがいまのような質問をして前田さんに答えていただくにふさわしいテーマだと思うんです。

前田　はい、さきほどアフガニスタンへ行ったときのことを少しお話ししました。パキスタンのイスラマバード、ペシャワールにもなんども行きました。

立野　旅と言っても同じ旅ではないですね。わたしのささやかな経験で言えば、まだＩＲＡが活動しているころでしたから、ロンドンで事件について聞いたり、地下鉄で爆破騒ぎがあったり、とそういうことはありました。

それからわたしの本の表紙に使っているロランの切り通しを探してわたしは三度ピレネーへ行ったと申しましたが、最初はピレネー山脈をビスケー湾に近いほう、つまり北のほうへ行きました。つまりバスク地方ですね。そのバスク地方にも「バスク、祖国と自由（ＥＴＡ）」と言いまして、いわゆる「過激派」が活動していた。ＩＲＡとまったく同じように爆弾闘争をやっていました。ですからＥＴＡの活動家が逮捕されて処刑された、なんていうニュースも目にしていました。でも、わたしはそのようなバスクを目指して行ったわけではないのです。

なにもわたしは好んで、好んでというか自分から目指して、紛争地や危険なところへ出かけて行ったのではないわけです。たまたまロンドンに行って、そのつい三日前に爆破があったとか、あるいは自分は被害に遭いませんでしたけれども、地下鉄に乗ろうとして「出なさい！」と言われて、それでその場で地上に上げられてしまった。周りのロンドンの市民たちはみなバスに飛び乗った。そういう日常を目の当たりにしました。

前田　いまだって、いつどこでテロが起きるか分からない。テロが隣にあるかもしれない時代をわれわれは生きているというふうに言えませんか。

立野　そういうことなんですね。当時、テロが起きた日は、ロンドンの地下鉄やバスはいつどこで乗ってどこで降りても料金を取らないんです。「こういうことがしょっちゅうあるんですか」って乗り合わせたバスのお客さんにも訊いたけれども、「一週間前にもあった」とか。「ただ脅かしで済む場合と、ほんとうに爆発する場合もあるから、だからこうやって乗り物を替えなきゃならないんですよ」。さっきも言いましたが、運転手さんから「ほんとうにこんな小さい子が即死した」なんて話を聞かされるでしょう。

そうすると先進国であると言われている国に住んでいても、いつなんどきでもその国の人々はテロリズムとの遭遇者あるいは被害者にならないともかぎらないわけですよね。まして旅人も巻き込まれないわけにいかない。そういう旅の仕方しかもう現代にはないのかもしれません。

かつて中世の時代は追い剝ぎとか狼とか野犬とか、巡礼の途上で何人もの人々が路傍に倒れた。その名前なき墓がずうっと路傍にはある。だが現代は中世と全然ちがうのか。いや現代にも現代の危険がいっぱいあるわけですね。ですから前田さんはそれを承知の上でアフガンをはじめとしてさまざまなところへお出かけになっている。それこそ確信犯的にお出かけになっている。わたしの場合はたまたまというか、まだまだ偶然の旅行者として偶発的に危険と遭遇する程度ですけれども。

前田　アイルランドのことが話に出ましたので、少しわたしの自慢話をします。ケン・ローチ（一九三六年～）という映画監督がイギリスにおりますね。わたしはそのケン・ローチからカンパをいただいた日本人、非常に珍しい日本人なんです。ケン・ローチは『ケス』（一九六九年）、『大地と自由』（一九九五年）で知られる監督です。『麦の穂を揺らす風』（二〇〇六年）はごらんになった方いますか？　何人かいらっしゃいますね。この映画はアイルランド植民地下の闘いを描いています。アイルランド独立の闘いです。最終的に主人公は処刑されてしまうんですが、映画の冒頭に流れる歌が「麦の穂を揺らす風」というアイルランドの人々の心に残る歌なんですね。朝鮮民族にとっての「アリラン」のような感じの歌です。

立野　はい、わたしも見ています。

前田　その映画を作る前の二〇〇三年、高松宮殿下記念世界文化賞という、その筋の賞をケン・ローチは受賞しました。日本にやってきて授賞式にも出ました。だけど天皇制と関わる賞なんです。労働者階級の闘いを描いてきたローチ監督ですから、賞はもらうけれども賞金を自分の懐には入れたくない。それで日本で平和運動や労働運動で闘っている人たちにカンパをする、ということで賞金の半分は国労闘争団にカンパし、残りの半分はわたしたち、アフガニスタン戦争におけるアメリカの戦争犯罪を裁こうとしていた「アフガニスタン国際戦犯民衆法廷実行委員会」にくれました。わたしは飛んでいってケン・ローチと握手して、記念撮影をして、カンパをいただきました。

そのお金で、イラク戦争におけるアメリカの戦争犯罪を裁くための「イラク国際戦犯民衆法廷」という運動をしました。ケン・ローチは帰国して、『麦の穂を揺らす風』の撮影に入っていきました。よけいな自慢話ですが、アフガニスタンとアイルランドとがこういうかたちでわたしのなかではつながっているわけです。

テロ、内戦、難民の時代、メルトダウンの時代ということですが、同時に核の時代でもあって、ある意味、文学が困難を抱える面があると思うんですが、逆に言うとほんものの文学であるのであれば、いまこそもっと輝きを示す必要がある、そういう時代でもあるんじゃないかと思うんですけれども、そういう作品とか、そういう作家とか、立野さんからごらんになっていかがでしょうか。

立野　わたしが不勉強のせいもありましょうが、テロや内戦や難民を直接テーマにした作品でこれは素晴らしいと思うものには、まだ出会ったとは言えないですね。ただし、テーマは一見別のところに据えてあるようであっても、テロ、難民、それから内戦、抑圧、これがバックグラウンドに着実にあって、読む人が読めばそれが背景からせり出してくる作品、そのせり出してくるところをちゃんと読むことができる読者にだけは分かる、というようなそういう作品はいくつか知っています。現につい先日、四月末から五月にかけてわたしはポルトガルへ行って、最後の日はリスボンに滞在して帰ってきたんですけれども、さきほど話に出た福島の佐々木先生が、やはりスペインだけではなくポルトガルにも足を運ばれている。

わたしが「ポルトガルを旅行中です」とインターネットであちらから旅の経過を報告すると、ご本人は「もともと出不精だからそれほどうらやましいと思っているわけでもないが、心の旅、頭の旅は自分もしている」と返信をくださった。そして「立野さんの参考になればさいわいです」といって何点か本を紹介してくれました。

そのやり取りのなかで、たまたまですけれど、スイスの作家でパスカル・メルシエという作家のことが話題になった。この人の小説の日本語訳の帯で、宣伝用の文句が書いてあるんです。そこに「全世界で四百万部」って書いてある。これはすごい、と思ってストーリーをあらまし読んだら、もう俄然興味を魅かれました。物語の最初にスイスのベルンという町が出てくる。

前田　はい、首都です。スイスのほぼ中央にある小さな町ですね。

立野　ベルンのギムナジウムで古典語を教えている初老の教師が主人公なんです。ひょんなことからポルトガル人女性が川に投身しかけたのを救った。ところがこの女性はあっという間に主人公の前から姿を消してしまう。その女性が着ていたコートがあとに残されていた。コートのポケットを探ってみたらリスボン行きの切符と一冊の小さな本がはいっていた。ポルトガル語で書いてある本ですが、古典語ができるくらいだから主人公は辞書なしで八割がた読めてしまうわけです。物語のなかのその本を書いた著者はポルトガル人だが、一九七〇年代半ばのころのことを手記として書いている。

つまりスペインと同じようにポルトガルも独裁政権が続いたんですが、当時サラザールという独裁者がいました。スペインのフランコに匹敵するような人物です。このサラザール政権の際に非合法の民主化闘争をおこなった人物が、文学的にも優れた才能を持っていて、ノートまたは手記を書き溜めていたが脳出血のために急死するんです。

その妹が兄の死後出版として手記を編集して小さな本をつくった。それが古典語の教授が救った女性の着ていたコートのポケットにはいっていた。読み始めたら古典語教師はいま学校で授業をやっているのに、その授業から抜け出して、手に持った切符を使ってベルンからリスボン行きの夜行列車に飛び乗ってしまう。出だしはそういう小説なんです。まっすぐリスボンへ行き、リスボンの街を徘徊して、この本の著者がどんな生涯を送ったのか関係者を尋ね、当時のことを訊いてゆく。誰に頼まれたわけでもないのに、主人公はなんでまた突発的にそんな旅をして、そんな聞き込みのようなことをするのだろうか。

前田　しかし、それがじつはその本のいわば隠れたテーマなのですね。

立野　そうなんです。主人公はもう初老で自分の人生にそこそこ満足している学校教師だった。ところが思いがけず手に取って読み始めたその本には、自分には想像もつかなかった人生が内省的な文体で書かれている。外面的にも内面的にも、こういう激しく深い青春を送って生きた人間がいたのか。そう痛感させられ、そのことによって衝撃を受け、現在の自分が打ちのめされる。自分の人生はなんだったのだろう、と読むほどに考え込んでしまうわけです。

人生というものはオルタナティヴで複数の選択肢があ

る。自分はこの選択肢のこの生き方を選んだけれども、かならずしもこれ以外になかったのではない。これが安楽でこれがいいと思って気楽に選んだが、この年になってよくよく考えれば、こんな人生は人生じゃない。いくら古典語が読めて、どんなに優れた学識があっても、これがほんとうの人生というものじゃない。しかし三十そこそこで命を終えた人間が書いたこの本には、どのページを繰っても血が噴き出るような命と情熱と深遠さがみなぎっている。つまり青春の真摯さがみなぎっている。このことが現在の自分に自足して生きてきたこの初老の主人公を打ちのめすんです。そしていまさらながらのように、初めて訪れたリスボンの街を彷徨する。

ご存じのようにリスボンはパリやロンドンと並ぶ古い歴史的な都市なんですね。しかも小高い丘の上にある。リスボンを彷徨もしくは徘徊するということは、歴史のなかを旅するのと同じなんです。そういう本を読んでいて主人公は自分も引き込まれずにはいない。独裁政権の時代に抑圧されながら生きた青春というものがじつは隠されたもう一つのモチーフで、独裁政権に抵抗するためにこの青年はそのときの自分の恵まれた安穏な境遇をなげうとうとした。そして同志と信頼関係を結ぶと同時に深刻な裏切りにも遭う羽目になった。手記の著者はそういう複雑な、短いけれども複雑でしかも豊饒な人生を送った。いっぽうその本を読んでいる主人公は、現在の自分の平穏無事だが退屈な人生とくらべてみないわけにはいかない。いったい、どっちがほんとうの人生なのだ、と考えないわけにはいかない。これはメルシエの小説を読んでいる読者への問いかけをもはらんでいるんです。ですから、わたしも定年直後にした旅でそんな本にめぐり合ってですね、五十数年間も明治大学におりましたけれど、おれの人生っていったいなんだったんだろう、と考え込んでしまった（笑）。

前田　ええっ、そこにつながるんですか！（笑）。

立野　そこにつながってしまったんです。二十代のころ盛んだった学生運動にもわたしは加わりませんでしたからね。ゲバ棒なんか全然握ったこともない。ヘルメットもかぶらなかった。完全なノンポリ学生だったんです。同期の連中のクラスの半分か三分の一ぐらいは、「立野、お前、こんなプチブル的日常に甘んじていていいのか。ベトナムではアメリカ帝国主義によって侵略戦争がおこなわれていて、日本も米帝に加担しているんだぞ」と当時わたしを責めましたよ。

相手はマルクス主義だの、レーニン主義だの、ヘーゲル哲学だのと言って、話をしていてもことごとくこちらが論破されるわけです。その人たちが現在どうなっているのかはほとんど分かりません。

前田　明治大学というと重信房子があまりにも有名ですね。重信房子は一九四五年生まれで、立野さんより二歳年上でしょう。同じ時期に明治大学に通っていた可能性が高い。後に重信房子は「日本赤軍」のリーダーになり、パレスチナに行ったのは一九七一～七二年のことです。

立野　重信房子さんは有名でしたから、いろいろ聞いて知っていました。会ったことはないですけれども。おっしゃるとおり、そういう激しい時代でした。しかしご存じのように安田講堂の攻防戦を一つの頂点として、学生運動は凋落《ちょうらく》の一途をたどり、末期は退廃して過激派は内ゲバに明け暮れ、悲惨な末路をたどりました。戦後の日本の若者世代が最も恥じなくてはならないようなかたちで学生運動の末期を迎えましたね。連合赤軍事件とか浅間山荘事件とか。

同じ時代に生きながら、自分が経験しなかった青春のかたちというものを別にうらやんでいるわけでもありませんし、恥じているわけでもありません。ただ、もっとちがう人生もわれわれにあり得たろう、ということはやはり考えますね。自分はいったいなにをしてきたのかということをよく考えるのです。

記憶の旅へ

立野　前田さんときょう対談させていただくのはわたしにとってはじつに光栄なんですけれども、前田さんはわたしよりお年は若いけれども、『旅する平和学』というこのご本にもあるように、前田さんが旅されたところを見ると、わたしと重なっているところはほんのわずかですね。たとえばアイスランド。わたしもアイスランドへ行きました。ですが紛争地、テロと内戦が頻発するところへはほとんど出かけていません。

前田　わたしはアフガニスタン、パキスタンとか、朝鮮民主主義人民共和国にも何度も行っていますが、アイスランドは軍隊のない国家なので調査に行ってきました。スイスも立野さんが行っていますから、スイスも重なっています。

立野　ええ、スイスも重なりますね。前田さんはおもにジュネーヴですが、わたしはジュネーヴとチューリッヒはただ経由するだけ。空港でレンタカーを借りてすぐ走り出しますから、街なんか泊まったこともありません。ですから人すぐサンモリッツあたりへ向かってしまう。ですから人生のどこかで瞬間的に交錯するでしょうけど、前田さんの人生とわたしの人生とは決定的にちがうと言わねばならないでしょう。

前田　ちなみに、わたしはことし（二〇一七年）三月にリスボンにいました。ちょっと時間差で立野さんと交錯しています。目的は全然ちがってグルベンキアン美術館に行きたかったので、それで行ってきたんです。あまり日本では知られていませんけど、アルメニア出身の大金持ちが晩年リスボンに住んでいて、かれが生涯かけて集めた作品を全部残しました。グルベンキアン美術館というのはとても素晴らしい美術館です。

立野　有名な美術館ですね。ただわたしのこんどの旅では見ていません。リスボン滞在も一日だけで、考古美術館に出かけてボスの『聖アントニウスの誘惑』一点だけが目当てでした。

前田　アルメニアというのは西アジアというか、トルコの東、カスピ海の近くにあります。第一次大戦時に、トルコがアルメニア人を迫害して、アルメニア・ジェノサイドでも知られる残念な歴史を持っているところでもあるので、その関連でちょっと行ってきたわけです。

立野　アルメニアとの関連でポルトガルに行かれたのですか。

前田　そうです。ポルトガルのヘイト・スピーチ規制法を調べる目的もありました。スペインもポルトガルも、人種差別を煽動するヘイト・スピーチを処罰します。また、歴史的悲劇の苦痛を味わった人々の記憶と体験を尊重するために「ホロコースト否定犯罪」を処罰します。「アウシュヴィッツのガス室はなかった」とか、「ユダヤ人を追い出したのはよかった」という発言を公然とすると犯罪です。

立野　なるほど。フランスでもそうですね。

前田　さて、では最後の質問になります。今後追及したいテーマということで、「人はなぜ旅に出るのか・再考」です。人生の五十年間はなんだったのかと問い直して、これからの新たな立野さんの旅について、予定でも未定でもかまいませんのでお聞かせいただけたらと思います。

立野　実際に自分で足を運んで世界各地へ出かけていく旅――これがまあ、ふつうの旅ですね。わたしは何冊か紀行を書きました。そのつど思うのですが、わたしのように鈍い人間がとくにそうなのかも分かりませんが、さっきも申しましたように、あとになって分かるということが少なくない。その瞬間その場では分からなくても、それが二年後なのか十年後なのかは分かりませんが、「ああ、あのとき」ということが遅ればせに認識として意識にやってくる。そのときに自分のほんとうの旅も始まるような気がするのです。

ほんとうの旅とは言っても、想像の旅、記憶の旅です。ですからわたしにとって、「旅とはなにか?」と訊かれたとするならば、記憶を伴わない旅は、わたしにとっては旅とは言えないんじゃないかと思う。空間を移動すること。それがそのまま旅と呼べるかどうかは、記憶を耕して記憶のなかになにか芽吹いてくるものがある場合であり、記憶の道筋のなかに起き上がってくるものがある場合ですね。それを十分育てて、そして収穫を得ることができて初めて自分の「旅」と言えるのではなかろうか、というふうにわたしは考えるんです。

前田　記憶の道筋のなかに起き上がるもの。あるいは記憶の畑を耕す。耕し方によっては記憶の喚起の仕方も当然変わるわけでしょうね。

立野　ええ。したがってリスボンへ行って帰ってきたばかりで、まだひと月かそこらですけれど、これからリスボンのことがわたしのなかで旅として芽を吹くのだろうと思っています。さきほどのパスカル・メルシエという人の小説は『リスボンへの夜行列車』というタイトルです。ですからわたしもいつか、生きているあいだに、突然夜行列車に飛び乗って出かけるかも分かりません。……もっとも日本は狭い島国ですからね、新幹線が高速で列島を往来するいまどき、夜行列車と言っても、ちょっとねぇ(笑)。

前田　講座を抜け出して成田空港へ急ぐ(笑)。

立野　わたしの郷里の岩手県には優れた天才が何人も輩出しています。石川啄木とか宮沢賢治がいるわけです。かれらは期せずして天空を目指した。啄木は「子どもたち、雲を見よ。雲は天才である。雲を見なさい」と語りかけています。それから宮沢賢治も人生の最後に『銀河鉄道の夜』という、未完ですが童話を書いていた。

雲も銀河鉄道も、ある意味では東北の天才たちのいわば偶然の一致のようにして生まれた天空へ向かって飛翔する想像力の旅の所産だと思うんです。ですから、自分が雲になる。自分が銀河鉄道に乗る。そのつもりで旅をしたいものだと思っております。

前田　どこにいても旅になる。自宅にいても、それぞれの雲を探せますからね。

立野　このことがわたしにとくに意識されるようになったというのも、さっきの南相馬の佐々木先生との出会いがあったからかもしれません。奥様の二十四時間介護をなさっていて、ご自分は自宅から半径一キロメートル先に出られない生活を送っておられる。東京から講演依頼がきても出かけることができない。でもお若いときに家族旅行をされた。一九八〇年にスペインをずうっと家族旅行されたそうです。それを思い出して日々のブログにときどき書いておられる。これまでのブログが私家版にまとめられていますが、十七年間で十四冊になろうとしている。じつにすごいことです。

また、『失われた時を求めて』という記憶の旅を小説にしたマルセル・プルーストというフランスの作家がおりますね。あれは二十世紀を代表する立派な文学作品の一つですが、そのことは格別として、記憶の旅というのは誰にでもできるんですよね。からだが不自由になって拘束されても、記憶を駆使して回想する想像力だけは自由ですからね。記憶の衰えということを言いますが、でもきっかけさえあれば、人はむかしのことをいくらでも思い出すことができる。

きっかけさえ与えればいい。問題はそのきっかけをいつ手にするかです。遅ればせにそのきっかけがやってくるのか、それとももう訪れないのか、それは分かりません。分かりませんがきっかけがあれば、あるいはきっかけを自分からつかみさえすれば、人間は日ごろ訪れないし、思い出しもしないことを、思い出すことができる。われわれは記憶を持っているでしょう。すなわち豊かな記憶の蔵を持っているはずです。だから、いつなんどきでも記憶の旅に出かけることができると思いますね。記憶は地を這うこともできる。地中深く下降することもできる。天空を翔《かけ》ることもできる。記憶と想像力を結び合わせれば、宇宙のかなたを夢見ることだってできる。記憶と想像力さえあれば今後どんな旅も可能ですよ。

前田　長時間ありがとうございました。わたしのブログには、「立野さんの本を一生懸命読むと立野病に罹患するおそれがある」と書きましたけれども、いまこの瞬間も、この会場に何人かの方が立野病にかかりそうなというか、逆ですね。すでにもともと「立野病」にかかっている方がいらしているという感じもありますけれども、立野病が蔓延するのがよいことなのか、よくないことなのか分かりません（笑）。分かりませんけれども、わたしからのインタヴューを以上でおしまいにしたいと思います。みなさん、立野さん、どうもお疲れさまでした。

立野　こちらこそ、みなさん、前田さん、長時間お付き合いいただいて、どうもありがとうございました（拍手）。

【付記】　このインタヴューないし対談は二〇一七年に行われたものだが、前田さんのご了承を得て遅ればせに本誌に掲載させていただくことになったものである。この場を借りて前田朗氏に感謝したい。

（立野）

立野正裕（たての　まさひろ）　一九四七年福岡県生まれ。岩手県立遠野高校卒業後、明治大学文学部入学。明治大学大学院文学研究科修士課程修了。英米文学と西洋文化史を研究。主著：『紀行　失われたものの伝説』『紀行　星の時間を旅して』『スクリーンのなかへの旅』（彩流社）、『精神のたたかい――非暴力主義の思想と文学』『黄金の枝を求めて――ヨーロッパ思索の旅・反戦の芸術と文学』『世界文学の扉をひらく』（一・二・三巻）『日本文学の扉をひらく』（一・二・三巻）『洞窟の反響――『インドへの道』からの長い旅』『未完なるものへの情熱――英米文学エッセイ集』（スペース伽耶）等。

前田朗（まえだ　あきら）　一九五五年札幌生まれ。中央大学法学部、同大学院法学研究科満期退学。専攻：刑事人権論、戦争犯罪論。東京造形大学教授、朝鮮大学校法律学科講師、日本民主法律家協会理事を歴任。主著：『東アジアに平和の海を』『「慰安婦」問題・日韓「合意」を考える』『旅する平和学』（彩流社）、『軍隊のない国家』（日本評論社）、『非国民がやってきた！』『国民を殺す国家』『パロディのパロディ　井上ひさし再入門』（耕文社）、『人道に対する罪』『9条を生きる』（青木書店）、『増補新版ヘイト・クライム』『ヘイト・スピーチ法研究序説』（三一書房）等多数。

〈書　評〉

ギャップなきタイムスリップ

——武田麟太郎『蔓延する東京　都市底辺作品集』（共和国）

杉田絵理

武田麟太郎（一九〇四—四六年）はプロレタリア文学者として出発し、のちに転向、陸軍報道班員としてアジア太平洋戦争にも関わった作家である。彼の「日本三文オペラ」を読む機会を得ておもしろいと唸ったのは今年に入ってからのことで、それまで作家の名前を聞いたこともなければ書店で見かけた記憶もなかった。調べると『蔓延する東京　都市底辺作品集』が一月に出版されていたことがわかった。

本書に収められているのは一九二九年から三九年にかけての作品から選ばれた「東京」の「社会的底辺」とそこに生きる人びとをテーマとした短篇小説、ルポルタージュ、エッセイである。サブタイトルの「都市底辺作品集」は、編集人の下平《しもひら》尾《お》直《なおし》氏と武田麟太郎が時代を超えて共有する問題意識を示している。

デビュー作「兇器」は、武田のプロレタリア作家としての出発を象徴するように本書冒頭に収録されている。伏字を表す「×××」が散りばめられたページを通勤電車のなかで開いてしまい、一瞬背後が気になった。読んではいけないものを読んでいる気分になってのことだが、冷静に見るとほとんどが問題ない言葉のように思われる。言論の自由を享受する私たち現代人は、それと引き換えに階級意識をすっかり失っているのだろう。この車両に乗り合わせたほとんどの人にとって組合や運動は忌避すべきものなのだろう。意識にも上らないのかもしれない。

「暴力」は『文藝春秋』に掲載予定で印刷・製本まで完了していたが、発売前に該当ページが切り取られたいわく付きの作品で、本書のは文藝春秋から削除されたオリジナルバージョンだ（単行本版で伏字だった箇所には「×××」とルビが振ってある)。兵役検査を不合格になった杉平治は上京して労働運動に関わっていく。この主人公には不自然なほど感情の揺らぎや自発性がなく、運動に加わったのも成り行きでしかなかった。そんな平治の子を孕ったと言い張る元恋人の夫が、平治に影響を受けて労働者意識に目覚めたことを手紙に書いて送ってくる。「プロレタリアの子供です」と生まれた子供の写真を送ってくる。これを契機として彼に「新しい感情」がおとずれる。

「託児所風景」は、シングルマザーが働きに出るため子供を託児所へ預けるところから始まる。媬姆《ほぼ》さんがこの少女タネちゃんの面倒を見るなかで、貧困家庭の現実を思い知る。彼女は「これでは慈善を期待する奴隷根性を小さい子供に吹きこむやうなものだ。そんな根性を保存させて置けば置く程、貧乏と云ふものはなくならないのだ。だから慈善事業は金持の好んでやるしごとだ」という気付きを得るのだが、結局タネちゃんに新しい父親ができたことで問題は解決をみる。男性不在家庭の貧困問題は今も未解決のまま鎮座している。低賃金での労働を強いられているのは女性だけとはいわないが、女性の社会的地位が一向に低いままなのは「日本」がもはや価値観をアップデートする力を持たないことの証明である(日本のジェンダーギャップ指数一二〇位は前年よりひとつだけアップ)。

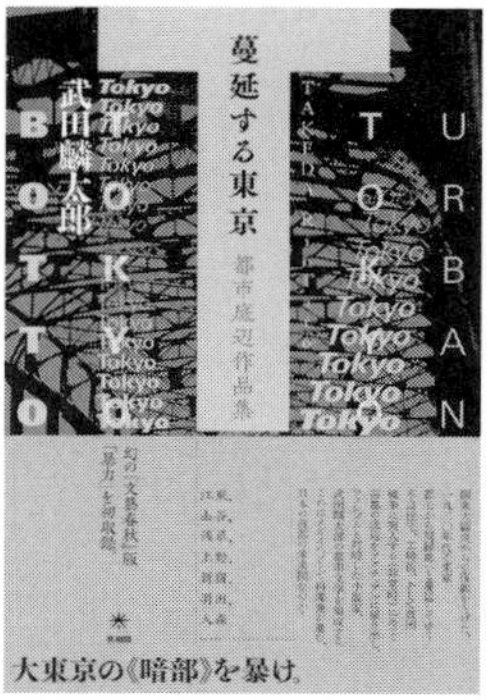

価格 3,500円+税

武田麟太郎は終戦後一年足らずで亡くなった。高度経済成長期、バブル期を経て日本はふたたび貧しくなり、人口減、都市の老朽化、社会保障制度の崩壊など晩年の様相を呈してきた。Covid-19の収束を指揮するリーダーも不在のまま一年延期された東京オリンピック・パラリンピックは多くの国民から冷ややかな視線を向けられてしまっている。もはや東京は憧れの対象ではなくなった。コロナ禍において政治家やメディアは「クラスター」「ソーシャルディスタンス」など次々に言葉を「まん延」させては消費してきた。立て直しは至難の業であろうから、新たな方向へ舵を切るか、目指す先が濃い霧に覆われているなら各自で活路を切り拓いていくほかない。まずは本書で日本の現在地を見つめたい。『蔓延する東京』が時空を超えて現代によみがえる。

(本書評は二〇二一年六月に執筆された【編集部】)

〈書　評〉

生きてしまったかぎりは

――合田一道著『生還：『食人』を冒した老船長の告白』（柏艪舎）

山本恵美子

この本に出会ったのは、二〇二〇年の晩秋のことだったろうか。たまたま入った上野の書店で、ノンフィクションの棚に平積みにされていたのが目に留まった。理由は、書名に「食人」とあったからだろう。パラパラとページを繰り、これは購入して損はないと半ば確信した。単行本だがハードカバーでなくソフトカバーで、比較的安価であることも、購入を後押しした。その後、他の同規模の書店では特に見当たらなかったから、購入した書店が独自の判断で入荷し、並べていたのだろうか。東京ではなく札幌の出版社が版元ということもあり、書店側でも動かなければおそらく配本数は限られていたに違いない。所用のついでに立ち寄った書店で本書を見つけられたのは、偶然の幸運だったと思う。

あとがきを読むまで本書はまったくの新刊だと思っていた（わたしの読書習慣として、本は素直に（？）前から読むため、あとがきは本編の後で読むのがもっぱらである）。しかし、本書は一九九四年に刊行された『裂けた岬』の再版だった。当時はずいぶんと反響が起きたようで、その後に文庫化も二度、なされている。二十六年を経ての再版は柏艪舎の代表が著者に持ちかけて実現したそうだ。再版がなければわたしがこの本を知ることもなかったかと思うと、出版人の情熱に感謝するばかりである。

著者の合田氏は元新聞記者。船長への取材には十五年という歳月がかかっている。むろん、船長は初めから「食人」のことをつまびらかに語ったわけではない。拒絶の言葉や無言、絶句のほうが多かった。ぽつり、ぽつりと話すようになったのは、著者が船長のもとに通うようになって六、七年ほど経ってからだという。本書はそうした細切れの会話をつなぎ合わせてまとめたものだ。

ちなみにこの食人事件を扱った本には、武田泰淳の小説『ひかりごけ』（新潮文庫）もある。しかし、小説のほうは船長に取材したわけでなく、当の船長は『ひかりごけ』に対しては、内容が事実とかけ離れた「作り話」と見なし、嫌悪を抱いていたようであることが、本書では語られてもいる。

事件が起きたのは太平洋戦争末期の一九四四年。前年の十二月、日本陸軍所属の徴用船「第五精神丸」が根室港から小樽へ向かう航海の途中、知床岬の沖合で大シケと吹雪に遭い航行不能となり、暗礁に乗り上げ船体は大破した。猛吹雪の中、かろうじて海岸沿いに建つ番屋に逃げ込んだのは、七人の船員のうち、船長と青年シゲだけだった（当時、船長は二十九歳、シゲは十八歳である）。極寒の地で飢餓地獄が二人を襲う。先に命を落としたのはシゲだった。極度の飢餓に陥っていた船長はその遺体を食べるのである。その時の記憶は船長におぼろげにしか残っていない。「食べたのは間違いなく自分なんだが、よく覚えていないんだよ」としか、船長には言いようがない。

十日ほどシゲの肉を食べ続け体力を回復した船長は、番屋を脱出して流氷伝いに十六キロを歩き、一軒の人家に辿り着く。遭難から二カ月が過ぎていた。船長は奇跡の生還を果たした神兵としてもてはやされたが、五月に番屋でリンゴ箱に収められた人骨が見つかったことで状況は一変。帰還から四カ月後、船長は逮捕されるに至る。

しかし、食人そのものを罰する法律はなかった。検事は死体損壊罪で船長を起訴し、懲役二年を求刑した。一方の弁護人は刑法三十七条の定める「緊急避難（※）」に該当するとし、無罪を主張した。判決は懲役一年であった。著者は裁判の判決に対して疑問点を提示する。その最大の理由は、この事件の記録が「判例体系」から脱落しているからだ。著者はその背景に軍部の圧力を見る。軍部では当初より、船長が食人で生き延びたことを確信していたが、軍法会議にかけることは避けた。軍属の人食いというニュースが皇軍の威信を傷つけることを恐れ、箝口令を敷いた。しかし警察の捜査でそれが明るみに出てしまったのである。皇軍の軍属が人食いにより裁かれた記録を残すことは神国の歴史に汚点がつくと判断し、記録が処分されたのではないかと著者は見ている。

船長は無罪とされるべきだったと考える著者とは反対の意味で、船長は懲役一年の刑をおかしいと思ってきた。そして服役後は、自分の行為を許されざる罪とし、重い十字架を自らに背負わせて生きた。船長の人生は己の行為を責め続けるものであった。番屋での飢餓の日々とその後の人生と、船長にとってどちらがより地獄であったろうか。晩年になっても「死んだら地獄に落ちる」と、真顔で著者に語っている。

そんな救われぬ船長に対し、著者はある時「アンデスの聖餐」の話をする。しかし船長は、それは自分の場合とは違うと退ける。日本人には日本人の道徳思想がある。食べるものがなくなったって、神や仏は助けてはくれない。シゲを食べたのは神や仏の導きなどではなく、自分のせいだ。「どうなったって最後は自分だけなんだよ。よたよたになったって、血へど吐いたって、腹減って動けなくなったって、自分しかいないんだよ。ぼーっとなろうと、気が狂おうと、自分は自分なんだからさ。自分のやったことには責任持たなきゃならないんだよ。生きてしまったかぎりは。」

自身の行為に向き合うなかで船長が辿り着いたのは、絶対的な実存の孤独と責任であった。食人の上に成り立つ現在の自分の存在は、どれほど船長に重いものであったろう。そしてその重みの一部は比喩ではなしに、シゲの命なのである。そしてまるでそのことを一時も忘れまいとするかのように、船長は終生、シゲの遺体の一部を肌身離さず持ち続けていた。

本書には著者の取材ノートが新たに収録されている。何ものかに引きずられるように船長への取材を続けた、と著者は残している。自分の執拗な訪問が船長やその妻を苦しめていると思いながらも、著者を十五年にわたり船長のもとへ通わせた執念の源は何だったのか。著者はあとがきで「この事件の背景を調べるうち、人間が生きるとはどういうことか、という原初的な問題と対峙しなければならなくなった。」と語っている。これもひとつの理由であろうけれども、わたしには、何よりも船長その人が著者の最大の動機でなかったろうかと思える。孤独で哀しみに満ちた、閉ざされた魂と対話することへの欲求——それは一面においては多分にエゴイスティックでもあるだろう——が、著者を突き動かしていたという気がするのである。

※刑法三十七条　自己又ハ他人ノ生命、身体、自由若クハ財産ニ対スル現在ノ危機ヲ避クル為メ已ムコトヲ得サルニ出テタル行為ハ其行為ヨリ生シタル害其裂ケントシタル害ノ程度ヲ超エサル場合ニ限リ之ヲ罰セス、但其程度ヲ超エタル行為ハ情状ニ因リ其刑ヲ減軽又ハ免除スルコトヲ得

編集後記

▼今号は小特集として、大佛次郎をテーマに各同人が筆をとりました。大佛が没したのは一九七三年四月三十日のことでした。今年は没後五十年にあたります。享年七十五歳。世に残した仕事は膨大かつ多岐にわたります。『鞍馬天狗』で一躍、人気作家となり、映像化された作品も多数あることから、大衆作家というイメージもあるでしょう。けれども、わたしは、大佛の作品について書き、同人の書いたものを読むにつれ、そのような枠には収まりきらない広さ・深さを持った文学者であったことを知りました。今回の小特集は必ずしも大佛文学の王道を押さえているとは言えませんが、同人一人ひとりが自分と大佛との接点を見つめ、書いているという点で、とても『トルソー』らしいものになっているのではないかと思います。▼牧子は、映像化された大佛次郎の小説、特に映画化されたものに注目し、詳細に書いています。テレビ映画「天皇の世紀」の制作にまつわる逸話は、この作家の有り様を物語っているでしょう。「一つの事件は書かれてあっても、背後に流れる時代の力は現れず」との批評は、大佛が「時代の力」の影響の中にある人間を描こうとしてきたことを意味するように思えます。堂野前と杉田は、場所――街（町）や土地――を接点に、『幻燈』、『義経の周囲』と自分との結びつきを語っています。これまでに大佛の作品を読んだことがある人、ない人といらっしゃると思いますが、「大佛次郎を読んでみようかな」と思っていただけるようなら幸いです。自分ならこう読む、というご意見もお待ちしています。もちろん、小特集に限らず、エッセイやトルソー（詩）、対談の感想も歓迎しております。（E・Y）

▼実に二年四か月ぶりの発行となる。ここでは、この間の「群島の会」の取り組みを紹介したい。二〇二一年六月から十二月にかけて、立野正裕さんに六回講演をしていただいた。「わたしの星の時間 忘れ得ぬ人々」の総合テーマの下、三人の恩師――橘忠衛〔一九〇九～一九七五年〕、小野二郎〔一九二九～一九八二年〕、須山静夫〔一九二五～二〇一一年〕――について、二つの旅先でのめぐりあいについて、最終回は作家・大西巨人〔一九一六～二〇一四年〕の謦咳に接した四半世紀を語っていただいた。コロナ禍にも関わらず、会場の「ブックハウスカフェ（神保町）」のホールはいつも満席で、その熱意で主催者を勇気づけ、共に講演を作り上げてくださった。そこに出現した時も「星の時間」であったろう。▼橘忠衛エッセイ集『火崑岡に炎ゆれば』には、戦後日本の学制になぞらえた文章がある。「六三三――みんなでガヤガヤ語を話しに集まる六、その言葉の反社会性に気がついて口数を少なくする三、そこでいよいよ自分自身との話をつけに通う次の三（だから手紙ばかり書いているのがいる）――のあとで、その話について本人が教師と話をするために〈進学〉するのが大学なのである」。この度の連続講演も、各人が「本人が教師と話をする」場ではなかったか。だから私が仰いだ「星の時間」と参加者Aとのそれは異なるであろう。参加者Bのそれもまた他の誰とも異なるであろう。それが素晴らしい。しかも点でバラバラに見える星々には、共通の根柢があるのに違いない。その共通のものを探り、結びつけるのが文学の仕事であると信じている。それは群島の精神と言ってもよい。▼毎号好評の表紙デザインは追川恵子さんの手になる。追川さん、いつも有難うございます。（T・I）

トルソー　第七号（二〇二三年五月）

二〇二三年五月二十日発行

編　集　群島の会

〒101-0062　千代田区神田駿河台一―一

明治大学文学部　塚田麻里子研究室内

問い合わせ先　guntonokai@gmail.com

発行所　株式会社　スペース伽耶

〒113-0033　東京都文京区本郷三―二九―一〇

飯島ビル２Ｆ

電　話　〇三（五八〇二）三八〇五

ＦＡＸ　〇三（五八〇二）三八〇六

発売所　株式会社　星雲社（共同出版社・流通責任出版社）

〒112-0005　東京都文京区水道一―三―三〇

電　話　〇三（三八六八）三二七五

ＦＡＸ　〇三（三八六八）六五八八

印刷＝モリモト印刷株式会社

乱丁・落丁本はおとりかえします。

ISBN978-4-434-32211-2